6 학년이 ✔ 꼭 알아야 할 수리 연산

6 학년이 꼭 알아야 할

수와 연산

이 책의 구성과 특징

1 1학년부터 6학년까지 각 학년별로 나오는 수와 연산 부분을 강화하여 학교 수업에 자신감을 쌓을 수 있도록 하였습니다.

2 수학의 기초인 수와 연산을 이해하여 빠르고 정확한 계산 능력을 얻을 수 있도록 하였습니다.

3 선행 학습을 원하는 학생 누구나 쉽게 공부할 수 있도록 하였습니다.

4 학기 중 또는 방학 중 단기간에 계산력을 완성할 수 있도록 하였습니다.

핵심정리

핵심 1 소수점의 자리가 같은 (소수)÷(소수)

• 소수를 분수로 고쳐서 계산하기

$$1.5 \div 0.3 = \frac{15}{10} \div \frac{3}{10} = 15 \div 3 = 5$$

• 세로셈으로 계산하기

$$0.3\overline{)1.5} \Rightarrow 0.3\overline{)1.5} \Rightarrow 3\overline{)1\ 5} \quad\quad 0.3\overline{)1.5}$$
$$\begin{array}{r}5 \\ \underline{1\ 5} \\ 0\end{array} \quad\quad \begin{array}{r}5 \\ \underline{1\ 5} \\ 0\end{array}$$

세로셈형식으로
나눗셈을 할때는
몫의 자리를 잘맞추어서
풀어야 합니다.

핵심정리

단원에서 꼭 알아야할 기본적인 개념과 원리를 요약 정리하였습니다.

핵심 다지기

시간	1~2분	2~3분	3~4분	점수 A + 점수 B	8~10점	5~7점	1~4점
점수 A	5	3	1				
맞은 개수	9~10개	6~8개	1~5개				
점수 B	5	3	1				

핵심 1-1 (소수 한 자리 수)÷(소수 한 자리 수) ①

분모가 10인 분수로 고친 후, 분자끼리의 나눗셈을 합니다.

$$3.2 \div 0.4 = \frac{32}{10} \div \frac{4}{10} = 32 \div 4 = 8$$

지금부터 풀까요?

1 $0.9 \div 0.3 = \dfrac{9}{10} \div \dfrac{3}{10} = 9 \div \boxed{} = \boxed{}$

2 $3.5 \div 0.5 = \dfrac{35}{10} \div \dfrac{5}{10} = 35 \div \boxed{} = \boxed{}$

핵심 다지기

핵심 내용을 주제별로 세분화하여 정리한 후 유형 문제를 반복 연습하는 문제들로 구성하였습니다.

●점수 체크표

문제 푸는 시간과 맞은 개수를 점수화하여 학습의 효과를 높이도록 하였습니다.

단원 마무리평가

시간	1~12분	12~14분	14~16분	16~18분	18~20분	점수 A + 점수 B	9~10점	7~8점	1~6점
점수 A	5	4	3	2	1				
맞은 개수	18~20개	15~17개	12~14개	9~11개	1~8개				
점수 B	5	4	3	2	1				

● 나눗셈을 하시오. (1~12)

1 $4.9 \div 0.7 = \dfrac{49}{10} \div \dfrac{\boxed{}}{10}$

$\quad\quad = 49 \div \boxed{} = \boxed{}$

2 $1.6\overline{)12.8}$

6 $3.7\overline{)2.96}$

7 $0.64\overline{)3.008}$

단원 마무리평가

단원을 마무리하면서 익힌 내용을 평가하여 자신의 실력을 알아볼 수 있도록 구성하였습니다.

Contents
차례

6 학년

분수와 소수

핵심 1 분수와 소수의 관계

0	$\frac{1}{10}$	$\frac{2}{10}$	$\frac{3}{10}$	$\frac{4}{10}$	$\frac{5}{10}$	$\frac{6}{10}$	$\frac{7}{10}$	$\frac{8}{10}$	$\frac{9}{10}$	1
0	0.1	0.2	0.3	0.4	0.5	0.6	0.7	0.8	0.9	1

- 0과 1 사이를 똑같이 10칸으로 나눈 수막대에서 한 칸의 크기는 $\frac{1}{10}=0.1$입니다.

- 색칠한 부분의 크기를 분수로 나타내면 $\frac{7}{10}$이고, 소수로 나타내면 0.7입니다.

$\frac{\triangle}{10}=0.\triangle$

$\frac{\triangle\blacksquare}{100}=0.\triangle\blacksquare$

$\frac{\triangle\blacksquare\bullet}{1000}=0.\triangle\blacksquare\bullet$

핵심 2 분수를 소수로 나타내기

- 분자를 분모로 직접 나누어서 소수로 나타냅니다.

$$\frac{3}{5}=3\div5=0.6 \qquad \frac{8}{25}=8\div25=0.32$$

- 분모가 10, 100, 1000인 분수로 고쳐서 소수로 나타냅니다.

$$\frac{1}{2}=\frac{1\times5}{2\times5}=\frac{5}{10}=0.5 \qquad \frac{1}{4}=\frac{1\times25}{4\times25}=\frac{25}{100}=0.25$$

$$1\frac{1}{8}=1+\frac{1\times125}{8\times125}=1+\frac{125}{1000}=1+0.125=1.125$$

$\frac{\triangle}{\blacksquare}=\triangle\div\blacksquare$

대분수를 소수로 나타낼 때는 대분수의 분수 부분을 소수로 나타내어 자연수 부분과 더합니다.

핵심 3 소수를 분수로 나타내기

- 소수 한 자리 수는 분모가 10인 분수로 나타낼 수 있습니다.
- 소수 두 자리 수는 분모가 100인 분수로 나타낼 수 있습니다.
- 소수 세 자리 수는 분모가 1000인 분수로 나타낼 수 있습니다.
- 분수로 나타낸 수가 약분이 되면 약분하여 기약분수로 나타냅니다.

$$0.9=\frac{9}{10} \qquad 0.24=\frac{24}{100}=\frac{24\div4}{100\div4}=\frac{6}{25}$$

$$0.312=\frac{312}{1000}=\frac{312\div8}{1000\div8}=\frac{39}{125}$$

핵심 **1** 분수와 소수의 관계

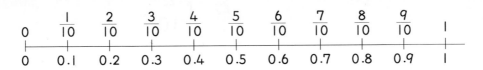

- 1을 10등분 한 것 중 하나의 크기를 분수로 $\frac{1}{10}$, 소수로 0.1이라 합니다.

- 1을 100등분 한 것 중 하나의 크기를 분수로 $\frac{1}{100}$, 소수로 0.01이라 합니다.

- 1을 1000등분 한 것 중 하나의 크기를 분수로 $\frac{1}{1000}$, 소수로 0.001이라 합니다.

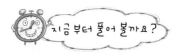

✿ 수직선을 보고, 분수는 소수로, 소수는 분수로 나타내시오. (1~3)

1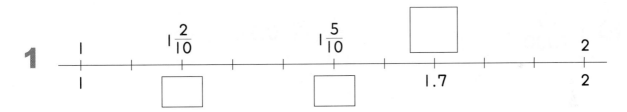

2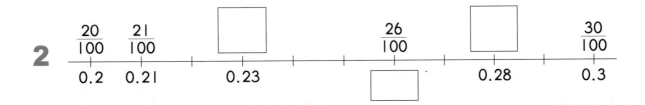

3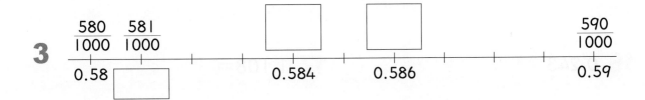

❋ 분수는 소수로, 소수는 분수로 나타내시오. (4~17)

4 $\dfrac{7}{10} =$

5 $1\dfrac{4}{10} =$

6 $\dfrac{15}{100} =$

7 $\dfrac{83}{100} =$

8 $5\dfrac{59}{100} =$

9 $\dfrac{773}{1000} =$

10 $1\dfrac{47}{1000} =$

11 $0.3 =$

12 $5.9 =$

13 $0.08 =$

14 $0.77 =$

15 $3.21 =$

16 $0.243 =$

17 $1.108 =$

핵심 2-1 분수를 소수로 나타내기①

분수의 분자를 분모로 나누어서 소수로 나타냅니다.

$$\frac{1}{5}=1\div5=0.2$$

$$\begin{array}{r} 0.2 \\ 5{\overline{\smash{\big)}\,1\,0}} \\ \underline{1\,0} \\ 0 \end{array}$$

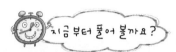 지금부터 풀어 볼까요?

❀ 분수를 소수로 나타내시오. (1~24)

1 $\dfrac{1}{2}=1\div2=\boxed{}$

2 $\dfrac{3}{5}=3\div5=\boxed{}$

3 $\dfrac{1}{4}=\boxed{}\div\boxed{}=\boxed{}$

4 $\dfrac{3}{20}=\boxed{}\div\boxed{}=\boxed{}$

5 $\dfrac{6}{25}=\boxed{}\div\boxed{}=\boxed{}$

6 $\dfrac{31}{50}=\boxed{}\div\boxed{}=\boxed{}$

7 $\dfrac{1}{8}=\boxed{}\div\boxed{}=\boxed{}$

8 $\dfrac{53}{200}=\boxed{}\div\boxed{}=\boxed{}$

9 $\dfrac{17}{250}=\boxed{}\div\boxed{}=\boxed{}$

10 $\dfrac{189}{500}=\boxed{}\div\boxed{}=\boxed{}$

11 $\dfrac{2}{5} =$

12 $\dfrac{4}{5} =$

13 $\dfrac{3}{4} =$

14 $\dfrac{17}{20} =$

15 $\dfrac{18}{25} =$

16 $\dfrac{39}{50} =$

17 $\dfrac{33}{50} =$

18 $\dfrac{7}{25} =$

19 $\dfrac{13}{20} =$

20 $\dfrac{3}{40} =$

21 $\dfrac{151}{200} =$

22 $\dfrac{108}{250} =$

23 $\dfrac{233}{500} =$

24 $\dfrac{7}{8} =$

핵심 2-2 분수를 소수로 나타내기②

분모가 10, 100, 1000인 분수로 고쳐서 소수로 나타냅니다.

$$\frac{1}{5} = \frac{1 \times 2}{5 \times 2} = \frac{2}{10} = 0.2$$

$$\frac{1}{4} = \frac{1 \times 25}{4 \times 25} = \frac{25}{100} = 0.25$$

$$1\frac{3}{8} = 1 + \frac{3 \times 125}{8 \times 125} = 1 + \frac{375}{1000} = 1 + 0.375 = 1.375$$

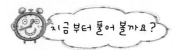

🌸 분수를 소수로 나타내시오. (1~28)

1 $\dfrac{1}{2} = \dfrac{1 \times 5}{2 \times 5} = \dfrac{\square}{\square} = \square$

2 $1\dfrac{2}{5} = 1 + \dfrac{2}{5} = 1 + \dfrac{2 \times \square}{5 \times 2} = 1 + \dfrac{\square}{\square} = 1 + \square = \square$

3 $\dfrac{13}{25} = \dfrac{13 \times \square}{25 \times 4} = \dfrac{\square}{\square} = \square$

4 $\dfrac{39}{50} = \dfrac{39 \times \square}{50 \times \square} = \dfrac{\square}{\square} = \square$

5 $5\dfrac{9}{20} = 5 + \dfrac{9}{20} = 5 + \dfrac{9 \times \boxed{}}{20 \times \boxed{}} = 5 + \dfrac{\boxed{}}{\boxed{}} = 5 + \boxed{} = \boxed{}$

6 $\dfrac{109}{125} = \dfrac{109 \times 8}{125 \times 8} = \dfrac{\boxed{}}{\boxed{}} = \boxed{}$

7 $\dfrac{33}{250} = \dfrac{33 \times 4}{250 \times 4} = \dfrac{\boxed{}}{\boxed{}} = \boxed{}$

8 $2\dfrac{5}{8} = 2 + \dfrac{5}{8} = 2 + \dfrac{5 \times \boxed{}}{8 \times \boxed{}} = 2 + \dfrac{\boxed{}}{\boxed{}} = 2 + \boxed{} = \boxed{}$

9 $\dfrac{4}{5} =$

10 $3\dfrac{1}{5} =$

11 $5\dfrac{1}{2} =$

12 $12\dfrac{3}{5} =$

13 $\dfrac{2}{25} =$

14 $\dfrac{11}{20} =$

15 $\dfrac{31}{50} =$

16 $\dfrac{3}{20} =$

17 $2\dfrac{1}{4} =$

18 $5\dfrac{11}{25} =$

19 $2\dfrac{18}{25} =$

20 $9\dfrac{43}{50} =$

21 $\dfrac{7}{40} =$

22 $\dfrac{123}{200} =$

23 $\dfrac{77}{250} =$

24 $\dfrac{63}{125} =$

25 $1\dfrac{3}{40} =$

26 $4\dfrac{13}{250} =$

27 $8\dfrac{73}{500} =$

28 $3\dfrac{7}{8} =$

시간	1~3분	3~4분	4~5분	점수 A + 점수 B	8~10점	5~7점	1~4점
점수 A	5	3	1				
맞은 개수	19~22개	14~18개	1~13개		참 잘했어요	잘했어요	좀더 노력하세요
점수 B	5	3	1				

핵심 3-1 소수를 분모가 10, 100, 1000인 분수로 나타내기

- 소수 한 자리 수는 분모가 10인 분수로 나타냅니다.

$$0.2 = \frac{2}{10} \qquad\qquad 1.7 = 1\frac{7}{10}$$

- 소수 두 자리 수는 분모가 100인 분수로 나타냅니다.

$$0.19 = \frac{19}{100} \qquad\qquad 0.31 = \frac{31}{100}$$

- 소수 세 자리 수는 분모가 1000인 분수로 나타냅니다.

$$0.127 = \frac{127}{1000} \qquad\qquad 2.703 = 2\frac{703}{1000}$$

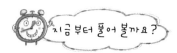 지금부터 풀어 볼까요?

❀ 소수를 분모가 10, 100, 1000인 분수로 나타내시오. (1~22)

1 0.3 =

2 0.9 =

3 0.7 =

4 2.1 =

5 5.2 =

6 13.5 =

7 0.01 =

8 0.06 =

9 0.24 =

10 0.73 =

11 6.03 =

12 2.57 =

13 11.45 =

14 4.24 =

15 0.315 =

16 0.419 =

17 0.107 =

18 0.521 =

19 1.823 =

20 2.775 =

21 5.009 =

22 7.319 =

시간	1~8분	8~11분	11~14분	점수 A + 점수 B	8~10점	5~7점	1~4점
점수 A	5	3	1				
맞은 개수	24~28개	17~23개	1~16개		참 잘했어요	잘했어요	좀더 노력하세요
점수 B	5	3	1				

핵심 3-2 소수를 기약분수로 나타내기

소수를 분모가 10, 100, 1000, …인 분수로 고친 후, 약분하여 기약분수로 나타냅니다.

$$0.4 = \frac{4}{10} = \frac{4 \div 2}{10 \div 2} = \frac{2}{5}$$

$$0.32 = \frac{32}{100} = \frac{32 \div 4}{100 \div 4} = \frac{8}{25}$$

$$0.325 = \frac{325}{1000} = \frac{325 \div 25}{1000 \div 25} = \frac{13}{40}$$

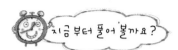

🌸 소수를 기약분수로 나타내시오. (1~28)

1 $0.5 = \dfrac{\Box}{10} = \dfrac{\Box \div \Box}{10 \div 5} = \dfrac{\Box}{\Box}$

2 $3.2 = 3\dfrac{\Box}{10} = 3\dfrac{\Box \div \Box}{10 \div 2} = \Box\dfrac{\Box}{\Box}$

3 $0.75 = \dfrac{\Box}{100} = \dfrac{\Box \div \Box}{100 \div 25} = \dfrac{\Box}{\Box}$

4 $0.46 = \dfrac{\Box}{100} = \dfrac{\Box \div \Box}{100 \div 2} = \dfrac{\Box}{\Box}$

5 $2.24 = 2\dfrac{\boxed{}}{100} = 2\dfrac{\boxed{} \div \boxed{}}{100 \div \boxed{}} = \boxed{}\dfrac{\boxed{}}{\boxed{}}$

6 $0.375 = \dfrac{\boxed{}}{1000} = \dfrac{\boxed{} \div \boxed{}}{1000 \div 125} = \dfrac{\boxed{}}{\boxed{}}$

7 $0.612 = \dfrac{\boxed{}}{1000} = \dfrac{\boxed{} \div \boxed{}}{1000 \div \boxed{}} = \dfrac{\boxed{}}{\boxed{}}$

8 $5.305 = 5\dfrac{\boxed{}}{1000} = 5\dfrac{\boxed{} \div \boxed{}}{1000 \div \boxed{}} = \boxed{}\dfrac{\boxed{}}{\boxed{}}$

9 $0.2 =$

10 $0.8 =$

11 $7.4 =$

12 $2.5 =$

13 $0.95 =$

14 $0.12 =$

15 0.75 =

16 0.58 =

17 2.25 =

18 9.92 =

19 7.78 =

20 1.15 =

21 0.625 =

22 0.005 =

23 0.525 =

24 0.512 =

25 2.875 =

26 4.072 =

27 5.502 =

28 3.775 =

1 수직선을 보고, 분수는 소수로, 소수는 분수로 나타내시오.

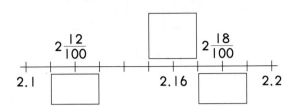

분수는 소수로, 소수는 분수로 나타내시오. (2~5)

2 $\dfrac{9}{10} =$

3 $\dfrac{51}{100} =$

4 $4.59 =$

5 $1.379 =$

분수를 소수로 나타내시오. (6~12)

6 $\dfrac{2}{5} = \dfrac{2 \times \square}{5 \times \square} = \dfrac{\square}{\square} = \square$

7 $\dfrac{13}{25} = \dfrac{13 \times \square}{25 \times \square}$

$= \dfrac{\square}{\square} = \square$

8 $2\dfrac{3}{4} = 2 + \dfrac{3}{4} = 2 + \dfrac{3 \times \square}{4 \times \square}$

$= 2 + \dfrac{\square}{\square} = 2 + \square$

$= \square$

9 $\dfrac{33}{50} =$

10 $\dfrac{3}{8} =$

11 $2\dfrac{17}{20} =$

12 $5\dfrac{18}{125} =$

 소수를 기약분수로 나타내시오.

(13~20)

13 $0.46 = \dfrac{\square}{100}$

$= \dfrac{\square \div \square}{100 \div \square}$

$= \dfrac{\square}{\square}$

14 $0.625 = \dfrac{\square}{1000}$

$= \dfrac{\square \div \square}{1000 \div \square}$

$= \dfrac{\square}{\square}$

15 $3.25 = 3\dfrac{\square}{100}$

$= 3\dfrac{\square \div \square}{100 \div \square}$

$= \square \dfrac{\square}{\square}$

16 $0.2 =$

17 $0.882 =$

18 $1.8 =$

19 $3.74 =$

20 $7.424 =$

분수의 나눗셈

돌다리 두드리기

핵심 1 진분수의 나눗셈

- 분모가 같은 진분수끼리의 나눗셈

$$\frac{1}{5} \div \frac{3}{5} = 1 \div 3 = \frac{1}{3}$$

분모가 같은 진분수끼리의 나눗셈은 분자들의 나눗셈과 같습니다.

- 분모가 다른 진분수끼리의 나눗셈

$$\frac{1}{4} \div \frac{2}{5} = \frac{1}{4} \times \frac{5}{2} = \frac{5}{8}$$

나누는 수의 분모와 분자를 바꾸어 곱합니다.

> 분모를 통분하여 분모가 같은 분수의 나눗셈으로 도 계산할 수 있습니다.

핵심 2 자연수의 나눗셈

- (자연수) ÷ (진분수)

$$2 \div \frac{3}{7} = 2 \times \frac{7}{3} = \frac{14}{3} = 4\frac{2}{3}$$

진분수의 분모와 분자를 바꾸어 곱합니다.

- (자연수) ÷ (단위분수)

$$3 \div \frac{1}{2} = 3 \times 2 = 6$$

자연수와 단위분수의 분모를 곱합니다.

핵심 3 가분수의 나눗셈

$$\frac{5}{2} \div \frac{5}{7} = \frac{\overset{1}{\cancel{5}}}{2} \times \frac{7}{\underset{1}{\cancel{5}}} = \frac{7}{2} = 3\frac{1}{2}$$

나누는 수의 분모와 분자를 바꾸어 곱셈으로 고치고, 계산 중간 과정에서 약분이 되면 약분을 합니다. 계산 결과가 가분수이면 대분수로 고칩니다.

> 계산 중간 과정에서 약분하면 간단해지는구나!

핵심 4 대분수의 나눗셈

$$3\frac{1}{2} \div 1\frac{1}{4} = \frac{7}{2} \div \frac{5}{4} = \frac{7}{\underset{1}{\cancel{2}}} \times \frac{\overset{2}{\cancel{4}}}{5} = \frac{14}{5} = 2\frac{4}{5}$$

대분수를 가분수로 고쳐서 계산합니다.

핵심 1-1 분모가 같은 진분수끼리의 나눗셈

$$\frac{4}{7} \div \frac{3}{7} = 4 \div 3 = \frac{4}{3} = 1\frac{1}{3}$$

$$\frac{\bigstar}{\blacksquare} \div \frac{\bullet}{\blacksquare} = \bigstar \div \bullet = \frac{\bigstar}{\bullet}$$

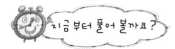
지금 부터 풀어 볼까요?

1 $\dfrac{2}{4} \div \dfrac{3}{4} = 2 \div 3 = \dfrac{\square}{\square}$

2 $\dfrac{5}{6} \div \dfrac{3}{6} = 5 \div 3 = \dfrac{\square}{\square} = \square\dfrac{\square}{\square}$

3 $\dfrac{2}{7} \div \dfrac{5}{7} = \square \div \square = \dfrac{\square}{\square}$

4 $\dfrac{7}{8} \div \dfrac{4}{8} = \square \div \square = \dfrac{\square}{\square} = \square\dfrac{\square}{\square}$

5 $\dfrac{9}{10} \div \dfrac{2}{10} = \square \div \square = \dfrac{\square}{\square} = \square\dfrac{\square}{\square}$

6 $\dfrac{2}{3} \div \dfrac{1}{3} =$

7 $\dfrac{3}{4} \div \dfrac{2}{4} =$

8 $\dfrac{2}{5} \div \dfrac{3}{5} =$

9 $\dfrac{4}{5} \div \dfrac{3}{5} =$

10 $\dfrac{2}{6} \div \dfrac{4}{6} =$

11 $\dfrac{5}{6} \div \dfrac{4}{6} =$

12 $\dfrac{4}{7} \div \dfrac{2}{7} =$

13 $\dfrac{5}{7} \div \dfrac{6}{7} =$

14 $\dfrac{3}{8} \div \dfrac{1}{8} =$

15 $\dfrac{7}{8} \div \dfrac{2}{8} =$

16 $\dfrac{3}{9} \div \dfrac{7}{9} =$

17 $\dfrac{9}{10} \div \dfrac{4}{10} =$

18 $\dfrac{10}{12} \div \dfrac{5}{12} =$

19 $\dfrac{12}{15} \div \dfrac{7}{15} =$

핵심 1-2 분모가 다른 진분수끼리의 나눗셈①

분모를 통분하여 분모가 같은 분수의 나눗셈으로 계산합니다.

$$\frac{1}{2} \div \frac{2}{5} = \frac{1 \times 5}{2 \times 5} \div \frac{2 \times 2}{5 \times 2} = \frac{5}{10} \div \frac{4}{10} = 5 \div 4 = \frac{5}{4} = 1\frac{1}{4}$$

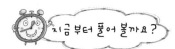
지금 부터 풀어 볼까요?

1 $\dfrac{1}{3} \div \dfrac{3}{4} = \dfrac{\square}{12} \div \dfrac{\square}{12} = \square \div \square = \dfrac{\square}{\square}$

2 $\dfrac{5}{6} \div \dfrac{2}{5} = \dfrac{\square}{30} \div \dfrac{\square}{30} = \square \div \square = \dfrac{\square}{\square} = \square\dfrac{\square}{\square}$

3 $\dfrac{3}{4} \div \dfrac{2}{5} =$

4 $\dfrac{4}{5} \div \dfrac{3}{7} =$

5 $\dfrac{2}{3} \div \dfrac{4}{5} =$

6 $\dfrac{5}{7} \div \dfrac{1}{3} =$

7 $\dfrac{7}{8} \div \dfrac{2}{3} =$

8 $\dfrac{5}{6} \div \dfrac{4}{7} =$

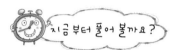 **1-3** 분모가 다른 진분수끼리의 나눗셈②

$$\frac{2}{3} \div \frac{2}{5} = \frac{\cancel{2}}{3} \times \frac{5}{\cancel{2}} = \frac{5}{3} = 1\frac{2}{3}$$

$$\frac{★}{■} \div \frac{●}{▲} = \frac{★}{■} \times \frac{▲}{●}$$

지금부터 풀어 볼까요?

1 $\dfrac{3}{5} \div \dfrac{2}{3} = \dfrac{3}{5} \times \dfrac{\boxed{}}{2} = \dfrac{\boxed{}}{\boxed{}}$

2 $\dfrac{5}{6} \div \dfrac{3}{8} = \dfrac{5}{\underset{3}{\cancel{6}}} \times \dfrac{\overset{\boxed{}}{8}}{\boxed{}} = \dfrac{\boxed{}}{\boxed{}} = \boxed{}\dfrac{\boxed{}}{\boxed{}}$

3 $\dfrac{2}{5} \div \dfrac{3}{4} = \dfrac{2}{5} \times \dfrac{\boxed{}}{\boxed{}} = \dfrac{\boxed{}}{\boxed{}}$

4 $\dfrac{5}{8} \div \dfrac{4}{5} = \dfrac{5}{8} \times \dfrac{\boxed{}}{\boxed{}} = \dfrac{\boxed{}}{\boxed{}}$

5 $\dfrac{5}{9} \div \dfrac{2}{5} = \dfrac{5}{9} \times \dfrac{\boxed{}}{\boxed{}} = \dfrac{\boxed{}}{\boxed{}} = \boxed{}\dfrac{\boxed{}}{\boxed{}}$

6 $\dfrac{1}{2} \div \dfrac{5}{6} =$

7 $\dfrac{1}{3} \div \dfrac{3}{4} =$

8 $\dfrac{2}{3} \div \dfrac{4}{5} =$

9 $\dfrac{1}{4} \div \dfrac{2}{3} =$

10 $\dfrac{3}{4} \div \dfrac{5}{8} =$

11 $\dfrac{2}{5} \div \dfrac{2}{3} =$

12 $\dfrac{3}{5} \div \dfrac{5}{6} =$

13 $\dfrac{4}{5} \div \dfrac{7}{10} =$

14 $\dfrac{1}{6} \div \dfrac{3}{4} =$

15 $\dfrac{5}{6} \div \dfrac{4}{9} =$

16 $\dfrac{3}{7} \div \dfrac{2}{3} =$

17 $\dfrac{4}{7} \div \dfrac{2}{5} =$

18 $\dfrac{3}{8} \div \dfrac{3}{4} =$

19 $\dfrac{5}{8} \div \dfrac{1}{6} =$

20 $\dfrac{7}{8} \div \dfrac{5}{12} =$

21 $\dfrac{5}{9} \div \dfrac{3}{4} =$

22 $\dfrac{8}{9} \div \dfrac{2}{15} =$

23 $\dfrac{7}{10} \div \dfrac{5}{6} =$

24 $\dfrac{9}{10} \div \dfrac{3}{5} =$

25 $\dfrac{4}{11} \div \dfrac{3}{4} =$

26 $\dfrac{6}{11} \div \dfrac{6}{7} =$

27 $\dfrac{7}{12} \div \dfrac{3}{8} =$

28 $\dfrac{11}{12} \div \dfrac{4}{5} =$

29 $\dfrac{14}{15} \div \dfrac{7}{10} =$

30 $\dfrac{5}{18} \div \dfrac{7}{9} =$

31 $\dfrac{13}{18} \div \dfrac{7}{12} =$

32 $\dfrac{17}{20} \div \dfrac{5}{16} =$

33 $\dfrac{23}{24} \div \dfrac{3}{16} =$

핵심 2 자연수의 나눗셈

- (자연수)÷(진분수)

$$2 \div \frac{4}{5} = 2 \times \frac{5}{4} = \frac{5}{2} = 2\frac{1}{2}$$

$$\star \div \frac{\bullet}{\blacksquare} = \star \times \frac{\blacksquare}{\bullet}$$

- (자연수)÷(단위분수)

$$3 \div \frac{1}{3} = 3 \times 3 = 9$$

$$\star \div \frac{1}{\blacksquare} = \star \times \blacksquare$$

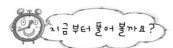
지금부터 풀어 볼까요?

1 $3 \div \frac{5}{6} = 3 \times \frac{6}{5} = \frac{\square}{5} = \square\frac{\square}{5}$

2 $4 \div \frac{3}{5} = 4 \times \frac{\square}{\square} = \frac{\square}{\square} = \square\frac{\square}{\square}$

3 $5 \div \frac{2}{3} = 5 \times \frac{\square}{\square} = \frac{\square}{\square} = \square\frac{\square}{\square}$

4 $2 \div \frac{1}{3} = 2 \times \square = \square$

5 $7 \div \frac{1}{2} = 7 \times \square = \square$

6 $\quad 2 \div \dfrac{2}{3} =$

7 $\quad 2 \div \dfrac{7}{10} =$

8 $\quad 3 \div \dfrac{3}{4} =$

9 $\quad 3 \div \dfrac{7}{8} =$

10 $\quad 3 \div \dfrac{1}{7} =$

11 $\quad 4 \div \dfrac{2}{3} =$

12 $\quad 4 \div \dfrac{5}{6} =$

13 $\quad 4 \div \dfrac{1}{4} =$

14 $\quad 5 \div \dfrac{2}{5} =$

15 $\quad 5 \div \dfrac{3}{8} =$

16 $\quad 6 \div \dfrac{2}{3} =$

17 $\quad 6 \div \dfrac{1}{6} =$

18 $\quad 7 \div \dfrac{3}{4} =$

19 $\quad 7 \div \dfrac{7}{8} =$

20 $8 \div \dfrac{2}{3} =$

21 $8 \div \dfrac{5}{6} =$

22 $9 \div \dfrac{3}{4} =$

23 $9 \div \dfrac{1}{12} =$

24 $10 \div \dfrac{2}{5} =$

25 $10 \div \dfrac{7}{8} =$

26 $12 \div \dfrac{3}{4} =$

27 $12 \div \dfrac{5}{6} =$

28 $15 \div \dfrac{2}{3} =$

29 $15 \div \dfrac{5}{8} =$

30 $18 \div \dfrac{1}{2} =$

31 $20 \div \dfrac{4}{9} =$

32 $22 \div \dfrac{6}{7} =$

33 $25 \div \dfrac{10}{13} =$

핵심 3-1 (가분수)÷(진분수), (진분수)÷(가분수)

• (가분수)÷(진분수)

$$\frac{3}{2} \div \frac{5}{6} = \frac{3}{2} \times \frac{\overset{3}{\cancel{6}}}{5} = \frac{9}{5} = 1\frac{4}{5}$$

• (진분수)÷(가분수)

$$\frac{1}{3} \div \frac{6}{5} = \frac{1}{3} \times \frac{5}{6} = \frac{5}{18}$$

지금부터 풀어 볼까요?

1 $\dfrac{3}{2} \div \dfrac{5}{7} = \dfrac{3}{2} \times \dfrac{7}{5} = \dfrac{\boxed{}}{10} = \boxed{}\dfrac{\boxed{}}{\boxed{}}$

2 $\dfrac{5}{4} \div \dfrac{2}{3} = \dfrac{5}{4} \times \dfrac{\boxed{}}{2} = \dfrac{\boxed{}}{\boxed{}} = \boxed{}\dfrac{\boxed{}}{\boxed{}}$

3 $\dfrac{9}{8} \div \dfrac{5}{6} = \dfrac{9}{\underset{4}{\cancel{8}}} \times \dfrac{\overset{\boxed{}}{\cancel{6}}}{\boxed{}} = \dfrac{\boxed{}}{\boxed{}} = \boxed{}\dfrac{\boxed{}}{\boxed{}}$

4 $\dfrac{2}{5} \div \dfrac{7}{3} = \dfrac{2}{5} \times \dfrac{3}{\boxed{}} = \dfrac{\boxed{}}{\boxed{}}$

5 $\dfrac{6}{7} \div \dfrac{4}{3} = \dfrac{\overset{3}{\cancel{6}}}{7} \times \dfrac{\boxed{}}{\underset{\boxed{}}{\cancel{4}}} = \dfrac{\boxed{}}{\boxed{}}$

6 $\dfrac{5}{2} \div \dfrac{3}{4} =$

7 $\dfrac{1}{2} \div \dfrac{6}{5} =$

8 $\dfrac{5}{3} \div \dfrac{5}{7} =$

9 $\dfrac{2}{3} \div \dfrac{7}{4} =$

10 $\dfrac{5}{4} \div \dfrac{1}{3} =$

11 $\dfrac{3}{4} \div \dfrac{5}{2} =$

12 $\dfrac{8}{5} \div \dfrac{2}{3} =$

13 $\dfrac{2}{5} \div \dfrac{9}{4} =$

14 $\dfrac{7}{6} \div \dfrac{3}{8} =$

15 $\dfrac{5}{8} \div \dfrac{3}{2} =$

16 $\dfrac{10}{9} \div \dfrac{4}{5} =$

17 $\dfrac{7}{10} \div \dfrac{6}{5} =$

18 $\dfrac{21}{16} \div \dfrac{3}{4} =$

19 $\dfrac{11}{20} \div \dfrac{13}{10} =$

핵심 3-2 (가분수) ÷ (가분수)

$$\frac{7}{2} \div \frac{5}{4} = \frac{7}{\underset{1}{2}} \times \frac{\overset{2}{4}}{5} = \frac{14}{5} = 2\frac{4}{5}$$

지금부터 풀어 볼까요?

1 $\dfrac{3}{2} \div \dfrac{8}{5} = \dfrac{3}{2} \times \dfrac{\square}{8} = \dfrac{\square}{\square}$

2 $\dfrac{7}{4} \div \dfrac{9}{7} = \dfrac{7}{4} \times \dfrac{7}{\square} = \dfrac{\square}{\square} = \square\dfrac{\square}{\square}$

3 $\dfrac{9}{2} \div \dfrac{6}{5} =$

4 $\dfrac{4}{3} \div \dfrac{10}{7} =$

5 $\dfrac{12}{5} \div \dfrac{8}{3} =$

6 $\dfrac{13}{6} \div \dfrac{5}{3} =$

7 $\dfrac{19}{10} \div \dfrac{7}{2} =$

8 $\dfrac{21}{20} \div \dfrac{7}{5} =$

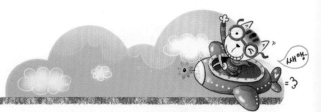
핵심 4-1 (대분수) ÷ (진분수)

$$2\frac{1}{2} \div \frac{3}{4} = \frac{5}{2} \div \frac{3}{4} = \frac{5}{\underset{1}{2}} \times \frac{\overset{2}{4}}{3} = \frac{10}{3} = 3\frac{1}{3}$$

대분수를 가분수로 고친 다음 나누는 수의 분모와 분자를 바꾸어 곱합니다.

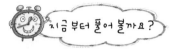 지금부터 풀어 볼까요?

1 $1\frac{1}{2} \div \frac{2}{3} = \frac{3}{2} \div \frac{2}{3} = \frac{3}{2} \times \frac{3}{\square} = \frac{\square}{\square} = \square\frac{\square}{\square}$

2 $1\frac{2}{3} \div \frac{2}{5} = \frac{5}{3} \div \frac{2}{5} = \frac{5}{3} \times \frac{5}{\square} = \frac{\square}{\square} = \square\frac{\square}{\square}$

3 $2\frac{1}{5} \div \frac{2}{3} = \frac{11}{5} \div \frac{2}{3} = \frac{11}{5} \times \frac{\square}{\square} = \frac{\square}{\square} = \square\frac{\square}{\square}$

4 $3\frac{3}{4} \div \frac{2}{5} = \frac{15}{4} \div \frac{2}{5} = \frac{15}{4} \times \frac{\square}{\square} = \frac{\square}{\square} = \square\frac{\square}{\square}$

5 $1\frac{1}{3} \div \frac{7}{9} = \frac{4}{3} \div \frac{7}{9} = \frac{\square}{\underset{1}{3}} \times \frac{\overset{\square}{9}}{\square} = \frac{\square}{\square} = \square\frac{\square}{\square}$

6 $3\dfrac{1}{2} \div \dfrac{4}{5} =$

7 $4\dfrac{1}{3} \div \dfrac{7}{9} =$

8 $1\dfrac{2}{3} \div \dfrac{5}{8} =$

9 $1\dfrac{1}{4} \div \dfrac{5}{7} =$

10 $3\dfrac{2}{4} \div \dfrac{2}{3} =$

11 $3\dfrac{2}{5} \div \dfrac{1}{3} =$

12 $1\dfrac{4}{5} \div \dfrac{9}{10} =$

13 $1\dfrac{1}{6} \div \dfrac{5}{6} =$

14 $2\dfrac{2}{7} \div \dfrac{4}{5} =$

15 $1\dfrac{3}{8} \div \dfrac{3}{4} =$

16 $3\dfrac{2}{9} \div \dfrac{2}{3} =$

17 $2\dfrac{3}{10} \div \dfrac{1}{2} =$

18 $1\dfrac{5}{12} \div \dfrac{3}{8} =$

19 $4\dfrac{4}{15} \div \dfrac{4}{9} =$

핵심 4-2 (진분수) ÷ (대분수)

$$\frac{3}{4} \div 2\frac{1}{2} = \frac{3}{4} \div \frac{5}{2} = \frac{3}{\underset{2}{4}} \times \frac{\overset{1}{2}}{5} = \frac{3}{10}$$

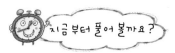 지금부터 풀어 볼까요?

1 $\dfrac{1}{2} \div 2\dfrac{1}{5} = \dfrac{1}{2} \div \dfrac{11}{5} = \dfrac{1}{2} \times \dfrac{\Box}{\Box} = \dfrac{\Box}{\Box}$

2 $\dfrac{2}{3} \div 1\dfrac{3}{4} = \dfrac{2}{3} \div \dfrac{7}{4} = \dfrac{2}{3} \times \dfrac{\Box}{\Box} = \dfrac{\Box}{\Box}$

3 $\dfrac{3}{4} \div 1\dfrac{3}{5} = \dfrac{3}{4} \div \dfrac{8}{5} = \dfrac{3}{4} \times \dfrac{\Box}{\Box} = \dfrac{\Box}{\Box}$

4 $\dfrac{2}{5} \div 2\dfrac{2}{3} = \dfrac{2}{5} \div \dfrac{8}{3} = \dfrac{\overset{1}{2}}{5} \times \dfrac{\Box}{\underset{\Box}{8}} = \dfrac{\Box}{\Box}$

5 $\dfrac{7}{8} \div 2\dfrac{1}{4} = \dfrac{7}{8} \div \dfrac{9}{4} = \dfrac{7}{\underset{2}{8}} \times \dfrac{\overset{\Box}{4}}{\Box} = \dfrac{\Box}{\Box}$

6 $\dfrac{1}{2} \div 3\dfrac{2}{3} =$

7 $\dfrac{1}{3} \div 4\dfrac{1}{2} =$

8 $\dfrac{2}{3} \div 2\dfrac{3}{4} =$

9 $\dfrac{1}{4} \div 3\dfrac{1}{2} =$

10 $\dfrac{3}{4} \div 2\dfrac{4}{7} =$

11 $\dfrac{4}{5} \div 3\dfrac{1}{3} =$

12 $\dfrac{1}{6} \div 3\dfrac{3}{4} =$

13 $\dfrac{5}{6} \div 1\dfrac{3}{10} =$

14 $\dfrac{5}{7} \div 1\dfrac{7}{8} =$

15 $\dfrac{3}{8} \div 3\dfrac{2}{3} =$

16 $\dfrac{5}{9} \div 3\dfrac{1}{2} =$

17 $\dfrac{9}{10} \div 1\dfrac{5}{7} =$

18 $\dfrac{7}{12} \div 2\dfrac{3}{4} =$

19 $\dfrac{17}{20} \div 5\dfrac{4}{5} =$

핵심 4-3 (대분수) ÷ (가분수)

$$1\frac{1}{3} \div \frac{6}{5} = \frac{4}{3} \div \frac{6}{5} = \frac{\overset{2}{4}}{3} \times \frac{5}{\underset{3}{6}} = \frac{10}{9} = 1\frac{1}{9}$$

지금 부터 풀어 볼까요?

1 $1\frac{1}{2} \div \frac{5}{3} = \frac{3}{2} \div \frac{5}{3} = \frac{3}{2} \times \frac{\square}{\square} = \frac{\square}{\square}$

2 $1\frac{2}{3} \div \frac{7}{4} = \frac{5}{3} \div \frac{7}{4} = \frac{5}{3} \times \frac{\square}{\square} = \frac{\square}{\square}$

3 $2\frac{3}{5} \div \frac{3}{2} = \frac{13}{5} \div \frac{3}{2} = \frac{13}{5} \times \frac{\square}{\square} = \frac{\square}{\square} = \square\frac{\square}{\square}$

4 $1\frac{1}{6} \div \frac{9}{8} = \frac{7}{6} \div \frac{9}{8} = \frac{7}{\underset{3}{6}} \times \frac{\overset{\square}{8}}{\square} = \frac{\square}{\square} = \square\frac{\square}{\square}$

5 $1\frac{3}{7} \div \frac{5}{4} = \frac{10}{7} \div \frac{5}{4} = \frac{\overset{2}{10}}{7} \times \frac{\square}{\underset{\square}{5}} = \frac{\square}{\square} = \square\frac{\square}{\square}$

6 $2\dfrac{1}{2} \div \dfrac{7}{2} =$

7 $1\dfrac{1}{3} \div \dfrac{9}{4} =$

8 $2\dfrac{2}{3} \div \dfrac{8}{5} =$

9 $1\dfrac{1}{4} \div \dfrac{5}{3} =$

10 $4\dfrac{3}{4} \div \dfrac{5}{2} =$

11 $1\dfrac{2}{5} \div \dfrac{7}{3} =$

12 $3\dfrac{3}{5} \div \dfrac{8}{7} =$

13 $1\dfrac{5}{6} \div \dfrac{7}{4} =$

14 $2\dfrac{1}{7} \div \dfrac{3}{2} =$

15 $5\dfrac{5}{7} \div \dfrac{10}{9} =$

16 $1\dfrac{1}{8} \div \dfrac{5}{4} =$

17 $3\dfrac{3}{8} \div \dfrac{9}{7} =$

18 $3\dfrac{5}{9} \div \dfrac{24}{13} =$

19 $1\dfrac{3}{10} \div \dfrac{7}{6} =$

핵심 4-4 (가분수)÷(대분수)

$$\frac{6}{5} \div 1\frac{1}{3} = \frac{6}{5} \div \frac{4}{3} = \frac{6}{5} \times \frac{3}{\underset{2}{4}} = \frac{9}{10}$$

지금부터 풀어 볼까요?

1 $\dfrac{3}{2} \div 2\dfrac{4}{5} = \dfrac{3}{2} \div \dfrac{14}{5} = \dfrac{3}{2} \times \dfrac{\square}{\square} = \dfrac{\square}{\square}$

2 $\dfrac{5}{4} \div 1\dfrac{3}{5} = \dfrac{5}{4} \div \dfrac{8}{5} = \dfrac{5}{4} \times \dfrac{\square}{\square} = \dfrac{\square}{\square}$

3 $\dfrac{11}{7} \div 1\dfrac{1}{3} = \dfrac{11}{7} \div \dfrac{4}{3} = \dfrac{11}{7} \times \dfrac{\square}{\square} = \dfrac{\square}{\square} = \square\dfrac{\square}{\square}$

4 $\dfrac{8}{5} \div 3\dfrac{3}{7} = \dfrac{8}{5} \div \dfrac{24}{7} = \dfrac{\overset{1}{8}}{5} \times \dfrac{\square}{\underset{\square}{24}} = \dfrac{\square}{\square}$

5 $\dfrac{15}{8} \div 1\dfrac{3}{4} = \dfrac{15}{8} \div \dfrac{7}{4} = \dfrac{15}{\underset{2}{8}} \times \dfrac{\overset{\square}{4}}{\square} = \dfrac{\square}{\square} = \square\dfrac{\square}{\square}$

6 $\dfrac{7}{2} \div 1\dfrac{2}{3} =$

7 $\dfrac{4}{3} \div 3\dfrac{1}{2} =$

8 $\dfrac{10}{3} \div 1\dfrac{7}{8} =$

9 $\dfrac{9}{4} \div 1\dfrac{1}{2} =$

10 $\dfrac{15}{4} \div 2\dfrac{2}{5} =$

11 $\dfrac{7}{5} \div 3\dfrac{1}{3} =$

12 $\dfrac{12}{5} \div 1\dfrac{5}{7} =$

13 $\dfrac{7}{6} \div 2\dfrac{3}{4} =$

14 $\dfrac{15}{7} \div 1\dfrac{2}{3} =$

15 $\dfrac{11}{8} \div 1\dfrac{1}{2} =$

16 $\dfrac{16}{9} \div 3\dfrac{3}{7} =$

17 $\dfrac{27}{10} \div 2\dfrac{4}{7} =$

18 $\dfrac{13}{12} \div 1\dfrac{3}{4} =$

19 $\dfrac{22}{15} \div 6\dfrac{2}{5} =$

핵심 4-5 (대분수) ÷ (대분수)

$$2\frac{2}{3} \div 1\frac{1}{4} = \frac{8}{3} \div \frac{5}{4} = \frac{8}{3} \times \frac{4}{5} = \frac{32}{15} = 2\frac{2}{15}$$

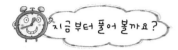

1 $1\frac{3}{4} \div 2\frac{2}{3} = \frac{7}{4} \div \frac{8}{3} = \frac{7}{4} \times \dfrac{\Box}{\Box} = \dfrac{\Box}{\Box}$

2 $1\frac{1}{5} \div 1\frac{2}{3} = \frac{6}{5} \div \frac{5}{3} = \frac{6}{5} \times \dfrac{\Box}{\Box} = \dfrac{\Box}{\Box}$

3 $3\frac{1}{4} \div 2\frac{1}{3} = \frac{13}{4} \div \frac{7}{3} = \frac{13}{4} \times \dfrac{\Box}{\Box} = \dfrac{\Box}{\Box} = \Box\dfrac{\Box}{\Box}$

4 $2\frac{1}{3} \div 3\frac{1}{5} = \frac{7}{3} \div \frac{16}{5} = \frac{7}{3} \times \dfrac{\Box}{\Box} = \dfrac{\Box}{\Box}$

5 $3\frac{3}{7} \div 1\frac{3}{5} = \frac{24}{7} \div \frac{8}{5} = \frac{\overset{3}{\cancel{24}}}{7} \times \dfrac{\Box}{\underset{\Box}{8}} = \dfrac{\Box}{\Box} = \Box\dfrac{\Box}{\Box}$

6 $1\dfrac{1}{2} \div 1\dfrac{3}{5} =$

7 $1\dfrac{1}{3} \div 2\dfrac{1}{2} =$

8 $2\dfrac{3}{4} \div 2\dfrac{1}{2} =$

9 $7\dfrac{1}{5} \div 2\dfrac{1}{4} =$

10 $2\dfrac{1}{6} \div 1\dfrac{2}{3} =$

11 $4\dfrac{5}{7} \div 1\dfrac{3}{8} =$

12 $3\dfrac{3}{8} \div 2\dfrac{1}{4} =$

13 $4\dfrac{4}{9} \div 1\dfrac{1}{3} =$

14 $2\dfrac{2}{10} \div 3\dfrac{1}{5} =$

15 $1\dfrac{5}{12} \div 2\dfrac{3}{4} =$

16 $3\dfrac{4}{15} \div 3\dfrac{1}{2} =$

17 $2\dfrac{13}{18} \div 1\dfrac{5}{9} =$

18 $3\dfrac{7}{20} \div 1\dfrac{3}{10} =$

19 $1\dfrac{7}{25} \div 4\dfrac{4}{15} =$

시간	1~6분	6~8분	8~10분	10~12분	12~14분	점수 A + 점수 B	9~10점	7~8점	1~6점
점수 A	5	4	3	2	1				
맞은 개수	18~20개	15~17개	12~14개	9~11개	1~8개		참 잘했어요	잘했어요	좀더 노력하세요
점수 B	5	4	3	2	1				

🌷 분수의 나눗셈을 하시오. (1~20)

1 $\dfrac{4}{7} \div \dfrac{3}{7} =$

2 $\dfrac{2}{5} \div \dfrac{5}{8} = \dfrac{2}{5} \times \dfrac{\boxed{}}{\boxed{}} = \dfrac{\boxed{}}{\boxed{}}$

3 $\dfrac{2}{3} \div \dfrac{5}{6} =$

4 $\dfrac{5}{8} \div \dfrac{1}{4} =$

5 $3 \div \dfrac{3}{5} = \overset{1}{3} \times \dfrac{\boxed{}}{\underset{\boxed{}}{3}} = \boxed{}$

6 $7 \div \dfrac{2}{3} =$

7 $4 \div \dfrac{1}{5} =$

8 $\dfrac{9}{5} \div \dfrac{6}{7} = \dfrac{\overset{3}{\cancel{9}}}{5} \times \dfrac{\boxed{}}{\cancel{6}_{\boxed{}}}$

$= \dfrac{21}{\boxed{}} = \boxed{} \dfrac{\boxed{}}{\boxed{}}$

9 $\dfrac{5}{8} \div \dfrac{7}{4} =$

10 $\dfrac{7}{4} \div \dfrac{5}{2} =$

11 $2\frac{1}{4} \div \frac{3}{5} = \frac{9}{4} \div \frac{3}{5}$

$$= \frac{\overset{3}{9}}{4} \times \frac{\square}{\underset{\square}{3}}$$

$$= \frac{\square}{\square} = \square\frac{\square}{\square}$$

12 $4\frac{1}{4} \div \frac{2}{3} =$

13 $\frac{4}{5} \div 1\frac{2}{3} =$

14 $\frac{3}{8} \div 2\frac{4}{7} =$

15 $3\frac{3}{7} \div \frac{4}{3} = \frac{24}{7} \div \frac{4}{3}$

$$= \frac{\overset{6}{24}}{7} \times \frac{\square}{\underset{\square}{4}}$$

$$= \frac{\square}{\square} = \square\frac{\square}{\square}$$

16 $2\frac{4}{9} \div \frac{11}{6} =$

17 $\frac{10}{3} \div 4\frac{1}{2} =$

18 $3\frac{1}{2} \div 1\frac{4}{5} = \frac{7}{2} \div \frac{9}{5}$

$$= \frac{7}{2} \times \frac{\square}{\square}$$

$$= \frac{\square}{\square} = \square\frac{\square}{\square}$$

19 $5\frac{1}{4} \div 3\frac{3}{7} =$

20 $2\frac{7}{10} \div 1\frac{1}{6} =$

3

소수의 나눗셈

핵심 1 소수점의 자리가 같은 (소수)÷(소수)

• 소수를 분수로 고쳐서 계산하기

$$1.5 \div 0.3 = \frac{15}{10} \div \frac{3}{10} = 15 \div 3 = 5$$

• 세로셈으로 계산하기

$$0.3\overline{)1.5} \Rightarrow 0.3\overline{)1.5} \Rightarrow 3\overline{)15} \quad \begin{array}{r} 5 \\ \hline 15 \\ \underline{15} \\ 0 \end{array} \quad \bigg| \quad 0.3\overline{)1.5} \begin{array}{r} 5 \\ \hline 15 \\ \underline{15} \\ 0 \end{array}$$

세로셈 형식으로 나눗셈을 할 때는 몫의 자리를 잘맞추어서 풀어야합니다.

핵심 2 소수점의 자리가 다른 (소수)÷(소수)

• 소수를 분수로 고쳐서 계산하기

$$1.25 \div 0.5 = \frac{12.5}{10} \div \frac{5}{10} = 12.5 \div 5 = 2.5$$

• 세로셈으로 계산하기

$$0.5\overline{)1.25} \Rightarrow 0.5\overline{)1.25} \Rightarrow 5\overline{)12.5} \begin{array}{r} 2.5 \\ \hline 12.5 \\ \underline{10} \\ 25 \\ \underline{25} \\ 0 \end{array} \quad \bigg| \quad 0.5\overline{)1.25} \begin{array}{r} 2.5 \\ \hline 12.5 \\ \underline{10} \\ 25 \\ \underline{25} \\ 0 \end{array}$$

몫의 소수점은 나눠지는 수의 옮겨진 소수점의 자리에 맞추어 찍습니다.

핵심 3 (자연수)÷(소수)

• 소수를 분수로 고쳐서 계산하기

$$6 \div 1.2 = \frac{60}{10} \div \frac{12}{10} = 60 \div 12 = 5$$

• 세로셈으로 계산하기

$$1.2\overline{)6} \Rightarrow 1.2\overline{)6.0} \Rightarrow \begin{array}{r} 5 \\ 12\overline{)60} \\ \underline{60} \\ 0 \end{array} \Bigg| \begin{array}{r} 5 \\ 1.2\overline{)6.0} \\ \underline{60} \\ 0 \end{array}$$

핵심 4 몫과 나머지 구하기

몫의 소수점은 나눠지는 수의 옮긴 소수점의 위치와 같고, 나머지의 소수점은 옮기기 전인 나눠지는 수의 처음 소수점의 위치와 같습니다.

$$0.5\overline{)1.2} \Rightarrow 0.5\overline{)1.2} \Rightarrow \begin{array}{r} 2 \\ 5\overline{)12} \\ \underline{10} \\ 2 \end{array} \Bigg| \begin{array}{r} 2 \\ 0.5\overline{)1.2} \\ \underline{10} \\ 0.2 \end{array}$$

$$1.2 \div 0.5 = 2 \cdots 0.2$$
$$\underset{\text{몫}}{\uparrow} \quad \underset{\text{나머지}}{\uparrow}$$

검산 $0.5 \times 2 + 0.2 = 1.2$

검산식
(나누는 수) × (몫)
＋ (나머지)
＝ (나눠지는 수)

소수의 나눗셈에서 몫을 정확하게 구할 필요가 없거나, 나누어 떨어지지 않을 때에는 몫을 반올림하여 나타냅니다.

핵심 5 몫을 반올림하여 구하기

$$\begin{array}{r} 7.166 \\ 0.3\overline{)2.1500} \\ \underline{2.1} \\ 5 \\ 3 \\ \hline 20 \\ 18 \\ \hline 20 \\ 18 \\ \hline 2 \end{array}$$

• 몫을 반올림하여 소수 첫째 자리까지 구하기
7.16 ➡ 7.2

• 몫을 반올림하여 소수 둘째 자리까지 구하기
7.166 ➡ 7.17

시간	1~2분	2~3분	3~4분	점수 A + 점수 B	8~10점	5~7점	1~4점
점수 A	5	3	1				
맞은 개수	9~10개	6~8개	1~5개				
점수 B	5	3	1		참 잘했어요	잘했어요	좀더 노력하세요

핵심 1-1 (소수 한 자리 수) ÷ (소수 한 자리 수) ①

분모가 10인 분수로 고친 후, 분자끼리의 나눗셈을 합니다.

$$3.2 \div 0.4 = \frac{32}{10} \div \frac{4}{10} = 32 \div 4 = 8$$

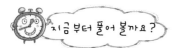 지금 부터 풀어 볼까요?

1 $0.9 \div 0.3 = \dfrac{9}{10} \div \dfrac{3}{10} = 9 \div \boxed{} = \boxed{}$

2 $3.5 \div 0.5 = \dfrac{35}{10} \div \dfrac{5}{10} = 35 \div \boxed{} = \boxed{}$

3 $0.6 \div 0.2 =$

4 $1.6 \div 0.4 =$

5 $4.2 \div 0.6 =$

6 $5.6 \div 0.7 =$

7 $4.8 \div 0.8 =$

8 $10.8 \div 0.9 =$

9 $9.1 \div 1.3 =$

10 $18.4 \div 2.3 =$

핵심 1-2 (소수 한 자리 수) ÷ (소수 한 자리 수) ②

나누는 수와 나눠지는 수의 소수점을 오른쪽으로 한 자리씩 옮겨 계산합니다.

$$0.4\overline{)3.2} \Rightarrow 0.4\overline{)3.2} \Rightarrow 4\overline{)32} \quad\Big|\quad 0.4\overline{)3.2}$$

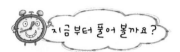

1

$$0.3\overline{)2.1}$$

2

$$0.7\overline{)2.8}$$

3

$$0.4\overline{)5.2}$$

4

$$1.2\overline{)19.2}$$

5

$0.2 \overline{)1.2}$

6

$0.3 \overline{)1.5}$

7

$0.3 \overline{)2.7}$

8

$0.4 \overline{)2.4}$

9

$0.4 \overline{)3.2}$

10

$0.5 \overline{)3.5}$

11

$0.6 \overline{)1.8}$

12

$0.6 \overline{)5.4}$

13

$0.7 \overline{)2.1}$

14

$0.7 \overline{)6.3}$

15 $0.8 \overline{)5.6}$

16 $0.8 \overline{)16.8}$

17 $0.9 \overline{)10.8}$

18 $0.9 \overline{)24.3}$

19 $1.3 \overline{)14.3}$

20 $1.9 \overline{)34.2}$

21 $2.1 \overline{)31.5}$

22 $2.5 \overline{)82.5}$

23 $3.2 \overline{)54.4}$

24 $3.6 \overline{)86.4}$

시간	1~3분	3~4분	4~5분	점수 A + 점수 B	8~10점	5~7점	1~4점
점수 A	5	3	1				
맞은 개수	9~10개	6~8개	1~5개				
점수 B	5	3	1		참 잘했어요	잘했어요	좀더 노력하세요

핵심 1-3 (소수 두 자리 수)÷(소수 두 자리 수)①

분모가 100인 분수로 고친 후, 분자끼리의 나눗셈을 합니다.

$$1.08÷0.12=\frac{108}{100}÷\frac{12}{100}=108÷12=9$$

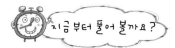 지금부터 풀어 볼까요?

1 $0.75÷0.15=\dfrac{75}{100}÷\dfrac{15}{100}=75÷\boxed{}=\boxed{}$

2 $4.96÷0.62=\dfrac{496}{100}÷\dfrac{62}{100}=496÷\boxed{}=\boxed{}$

3 $0.64÷0.32=$

4 $2.16÷0.54=$

5 $4.27÷0.61=$

6 $3.75÷0.75=$

7 $7.52÷0.94=$

8 $4.08÷1.02=$

9 $6.72÷2.24=$

10 $19.08÷3.18=$

핵심 1-4 (소수 두 자리 수)÷(소수 두 자리 수)②

나누는 수와 나눠지는 수의 소수점을 오른쪽으로 두 자리씩 옮겨 계산합니다.

$$0.12\overline{)1.08} \Rightarrow 0.12\overline{)1.08} \Rightarrow 12\overline{)108} \quad | \quad 0.12\overline{)1.08}$$

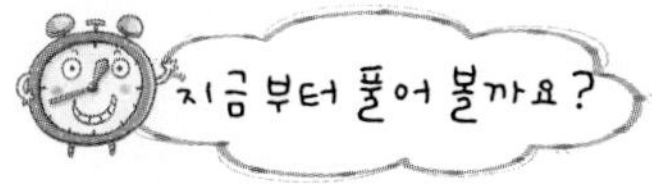

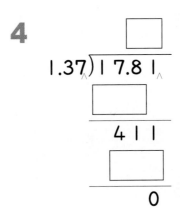

지금 부터 풀어 볼까요?

1

$$0.24\overline{)0.96}$$

2

$$0.52\overline{)3.64}$$

3

$$0.84\overline{)13.44}$$
504

4

$$1.37\overline{)17.81}$$
411

5

$0.18 \overline{)0.72}$

6

$0.23 \overline{)1.61}$

7

$0.35 \overline{)1.75}$

8

$0.41 \overline{)3.28}$

9

$0.48 \overline{)1.44}$

10

$0.57 \overline{)1.14}$

11

$0.69 \overline{)4.83}$

12

$0.77 \overline{)4.62}$

13

$0.82 \overline{)6.56}$

14

$0.98 \overline{)8.82}$

15

$1.57 \overline{)9.42}$

16

$1.84 \overline{)23.92}$

17

$2.12 \overline{)36.04}$

18

$2.84 \overline{)62.48}$

19

$3.71 \overline{)89.04}$

20

$4.02 \overline{)48.24}$

21

$5.45 \overline{)49.05}$

22

$6.39 \overline{)83.07}$

23

$7.29 \overline{)80.19}$

24

$8.83 \overline{)132.45}$

핵심 2-1 (소수 두 자리 수) ÷ (소수 한 자리 수) ①

분모가 10인 분수로 고친 후, (소수 한 자리 수) ÷ (자연수)의 식으로 바꾸어 계산합니다.

$$3.15 \div 0.7 = \frac{31.5}{10} \div \frac{7}{10} = 31.5 \div 7 = 4.5$$

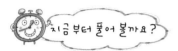 지금부터 풀어 볼까요?

1 $0.28 \div 0.2 = \dfrac{2.8}{10} \div \dfrac{2}{10} = 2.8 \div \boxed{} = \boxed{}$

2 $2.94 \div 0.7 = \dfrac{29.4}{10} \div \dfrac{7}{10} = 29.4 \div \boxed{} = \boxed{}$

3 $0.45 \div 0.3 =$

4 $3.76 \div 0.4 =$

5 $1.05 \div 0.5 =$

6 $4.38 \div 0.6 =$

7 $4.64 \div 0.8 =$

8 $12.35 \div 1.3 =$

9 $6.21 \div 2.7 =$

10 $17.28 \div 5.4 =$

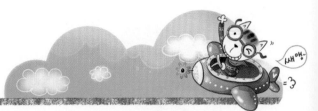

핵심 2-2 (소수 두 자리 수) ÷ (소수 한 자리 수)②

나누는 수가 자연수가 되도록 나누는 수와 나눠지는 수의 소수점을 오른쪽으로 한 자리씩 옮겨서 나눗셈을 합니다.

$$0.7 \overline{)3.15} \Rightarrow 0.7 \overline{)3.15} \Rightarrow$$

```
        4.5              4.5
 7 )3 1.5      0.7 )3.1.5
   2 8             2 8
   ─────          ─────
     3 5            3 5
     3 5            3 5
   ─────          ─────
       0              0
```

지금 부터 풀어 볼까요?

1
```
      □
0.4 )0.6 8
     □
   ─────
     2 8
     □
   ─────
       0
```

2
```
      □
0.6 )1.2 6
     □
   ─────
       6
     □
   ─────
       0
```

3
```
      □
0.9 )1.1 7
     □
   ─────
     2 7
     □
   ─────
       0
```

4
```
      □
2.4 )8.6 4
     □
   ─────
   1 4 4
     □
   ─────
       0
```

5 $0.2\overline{)0.46}$

6 $0.3\overline{)0.39}$

7 $0.4\overline{)0.36}$

8 $0.4\overline{)1.44}$

9 $0.5\overline{)3.85}$

10 $0.6\overline{)0.84}$

11 $0.6\overline{)4.92}$

12 $0.7\overline{)3.57}$

13 $0.8\overline{)2.24}$

14 $0.9\overline{)3.15}$

6학년이 꼭 알아야 할 수와 연산

15

$1.4 \overline{)2.52}$

16

$1.9 \overline{)5.13}$

17

$2.2 \overline{)4.62}$

18

$2.8 \overline{)8.96}$

19

$3.4 \overline{)21.42}$

20

$3.6 \overline{)10.44}$

21

$4.1 \overline{)15.17}$

22

$5.2 \overline{)27.56}$

23

$6.7 \overline{)60.97}$

24

$8.3 \overline{)38.18}$

핵심 2-3 (소수 세 자리 수)÷(소수 두 자리 수)①

분모가 100인 분수로 고친 후, (소수 두 자리 수)÷(자연수)의 식으로 바꾸어 계산합니다.

$$2.752 \div 0.86 = \frac{275.2}{100} \div \frac{86}{100} = 275.2 \div 86 = 3.2$$

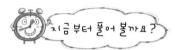 지금부터 풀어 볼까요?

1 $0.195 \div 0.13 = \frac{19.5}{100} \div \frac{13}{100} = 19.5 \div \boxed{} = \boxed{}$

2 $1.152 \div 0.48 = \frac{115.2}{100} \div \frac{48}{100} = 115.2 \div \boxed{} = \boxed{}$

3 $0.176 \div 0.22 =$

4 $0.735 \div 0.35 =$

5 $1.206 \div 0.67 =$

6 $3.922 \div 0.74 =$

7 $5.022 \div 0.81 =$

8 $1.488 \div 0.93 =$

9 $1.017 \div 1.13 =$

10 $7.392 \div 2.64 =$

핵심 2-4 (소수 세 자리 수) ÷ (소수 두 자리 수) ②

나누는 수가 자연수가 되도록 나누는 수와 나눠지는 수의 소수점을 오른쪽으로 두 자리 씩 옮겨서 나눗셈을 합니다.

$$0.86\overline{)2.752} \Rightarrow 0.86\overline{)2.752} \Rightarrow 86\overline{)275.2} \quad | \quad 0.86\overline{)2.752}$$

```
        3.2              3.2
86)275.2          0.86)2.752
   258                  258
   172                  172
   172                  172
     0                    0
```

1

```
        □
0.33)0.429
     □
      99
     □
      0
```

2

```
        □
0.51)1.224
     □
     204
     □
      0
```

3

```
        □
1.18)2.124
     □
     944
     □
      0
```

4

```
        □
2.04)4.284
     □
     204
     □
      0
```

5   0.19)0.437

6   0.27)0.243

7   0.39)1.599

8   0.43)0.731

9   0.56)1.904

10   0.62)0.744

11   0.71)5.893

12   0.79)4.345

13   0.88)4.048

14   0.95)2.375

15

$1.28 \overline{)1.536}$

16

$1.84 \overline{)3.864}$

17

$2.24 \overline{)3.136}$

18

$2.81 \overline{)4.777}$

19

$3.16 \overline{)9.164}$

20

$3.72 \overline{)13.392}$

21

$4.03 \overline{)9.672}$

22

$4.37 \overline{)5.681}$

23

$5.56 \overline{)17.792}$

24

$5.98 \overline{)21.528}$

핵심 3-1 (자연수) ÷ (소수 한 자리) ①

나누는 수가 소수 한 자리 수이므로 분모가 10인 분수로 고쳐서 계산합니다.

$$9 \div 1.5 = \frac{90}{10} \div \frac{15}{10} = 90 \div 15 = 6$$

지금 부터 풀어 볼까요?

1 $4 \div 0.8 = \dfrac{40}{10} \div \dfrac{8}{10} = 40 \div \boxed{} = \boxed{}$

2 $12 \div 1.5 = \dfrac{120}{10} \div \dfrac{15}{10} = 120 \div \boxed{} = \boxed{}$

3 $3 \div 0.2 =$

4 $2 \div 0.4 =$

5 $6 \div 0.5 =$

6 $15 \div 0.6 =$

7 $16 \div 0.8 =$

8 $6 \div 1.2 =$

9 $27 \div 1.5 =$

10 $72 \div 2.4 =$

핵심 3-2 (자연수)÷(소수 한 자리)②

나누는 수가 자연수가 되도록 소수점을 오른쪽으로 한 자리 옮겨 계산합니다.

$$0.5\overline{)9} \Rightarrow 0.5\overline{)9.0} \Rightarrow 15\overline{)90} \quad | \quad 1.5\overline{)9.0}$$

지금부터 풀어 볼까요?

1

$$0.5\overline{)2.0}$$

2

$$1.6\overline{)8.0}$$

3

$$2.5\overline{)30.0}$$

$$50$$

4

$$3.6\overline{)54.0}$$

$$180$$

5 $0.2 \overline{)5}$

6 $0.3 \overline{)6}$

7 $0.4 \overline{)12}$

8 $0.5 \overline{)4}$

9 $0.6 \overline{)9}$

10 $0.7 \overline{)21}$

11 $0.8 \overline{)20}$

12 $0.9 \overline{)18}$

13 $1.2 \overline{)18}$

14 $1.4 \overline{)7}$

15
$2.5\overline{)45}$

16
$2.8\overline{)56}$

17
$3.6\overline{)126}$

18
$4.2\overline{)84}$

19
$4.5\overline{)36}$

20
$5.5\overline{)66}$

21
$6.4\overline{)160}$

22
$7.8\overline{)234}$

23
$8.5\overline{)51}$

24
$9.2\overline{)184}$

핵심 3-3 (자연수)÷(소수 두 자리)①

나누는 수가 소수 두 자리 수이므로 분모가 100인 분수로 고쳐서 계산합니다.

$$6 \div 0.25 = \frac{600}{100} \div \frac{25}{100} = 600 \div 25 = 24$$

지금 부터 풀어 볼까요?

1 $2 \div 0.25 = \dfrac{200}{100} \div \dfrac{25}{100} = 200 \div \boxed{} = \boxed{}$

2 $16 \div 0.64 = \dfrac{1600}{100} \div \dfrac{64}{100} = 1600 \div \boxed{} = \boxed{}$

3 $8 \div 0.16 =$

4 $9 \div 0.36 =$

5 $12 \div 0.75 =$

6 $34 \div 0.85 =$

7 $30 \div 1.25 =$

8 $43 \div 1.72 =$

9 $94 \div 2.35 =$

10 $75 \div 6.25 =$

핵심 3-4 (자연수) ÷ (소수 두 자리) ②

나누는 수가 자연수가 되도록 소수점을 오른쪽으로 두 자리 옮겨 계산합니다.

$$0.25)\overline{6} \Rightarrow 0.25)\overline{6.00} \Rightarrow$$

$$25)\overline{600} \quad\quad 0.25)\overline{6.00}$$

지금 부터 풀어 볼까요?

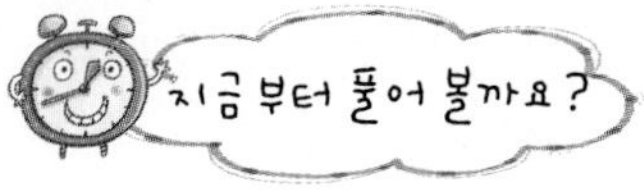

1
$$0.12)\overline{3.00}$$
$$60$$
$$0$$

2
$$0.75)\overline{6.00}$$
$$0$$

3
$$1.25)\overline{15.00}$$
$$250$$
$$0$$

4
$$1.68)\overline{42.00}$$
$$840$$
$$0$$

5

$0.18\overline{)9}$

6

$0.24\overline{)6}$

7

$0.35\overline{)7}$

8

$0.45\overline{)9}$

9

$0.54\overline{)81}$

10

$0.68\overline{)17}$

11

$0.78\overline{)39}$

12

$0.84\overline{)21}$

13

$0.85\overline{)17}$

14

$0.92\overline{)23}$

15

$1.25\overline{)25}$

16

$1.75\overline{)49}$

17

$1.88\overline{)47}$

18

$2.25\overline{)18}$

19

$2.46\overline{)123}$

20

$3.25\overline{)13}$

21

$3.75\overline{)45}$

22

$4.76\overline{)357}$

23

$5.24\overline{)131}$

24

$6.82\overline{)341}$

핵심 **4** 몫과 나머지 구하기

몫을 자연수 부분까지 구한 후, 나머지를 구합니다. 몫과 나머지를 바르게 구했는지 검산을 합니다.

$$0.3_\wedge)\overline{1.3_\wedge} \quad \begin{array}{r} 4 \leftarrow 몫 \\ \hline 1\,2 \\ \hline 0.1 \leftarrow 나머지 \end{array}$$

검산 $0.3 \times 4 + 0.1 = 1.3$
  몫 나머지

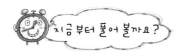

🌸 나눗셈의 몫을 자연수 부분까지 구하고, 나머지를 구하시오. 또, 계산이 맞았는지 검산해 보시오. (1~20)

1
$$0.4_\wedge)\overline{3.5_\wedge} \quad \begin{array}{r} \square \\ \hline 3\,2 \\ \hline \square \end{array}$$

검산 $0.4 \times \square + \square = 3.5$

2
$$0.9_\wedge)\overline{4.1_\wedge} \quad \begin{array}{r} \square \\ \hline 3\,6 \\ \hline \square \end{array}$$

검산 $0.9 \times \square + \square = 4.1$

3
$$2.5_\wedge)\overline{8.2_\wedge} \quad \begin{array}{r} \square \\ \hline 7\,5 \\ \hline \square \end{array}$$

검산 $2.5 \times \square + \square = 8.2$

4
$$3.1_\wedge)\overline{20.0_\wedge} \quad \begin{array}{r} \square \\ \hline 18\,6 \\ \hline \square \end{array}$$

검산 $3.1 \times \square + \square = 20$

5

$$0.2 \overline{)1.9}$$

검산 ------------------------------------

6

$$0.4 \overline{)1.5}$$

검산 ------------------------------------

7

$$0.5 \overline{)2.7}$$

검산 ------------------------------------

8

$$0.6 \overline{)4.7}$$

검산 ------------------------------------

9

$$0.8 \overline{)6}$$

검산 ------------------------------------

10

$$0.9 \overline{)3.5}$$

검산 ------------------------------------

11

$$1.3 \overline{)4.5}$$

검산 ------------------------------------

12

$$1.7 \overline{)2.5}$$

검산 ------------------------------------

13

$2.1 \overline{)12}$

검산 --

14

$2.4 \overline{)11.1}$

검산 --

15

$3.3 \overline{)15.5}$

검산 --

16

$4.5 \overline{)33.6}$

검산 --

17

$5.6 \overline{)30.15}$

검산 --

18

$8.7 \overline{)55.93}$

검산 --

19

$9.2 \overline{)47.29}$

검산 --

20

$10.2 \overline{)40.51}$

검산 --

핵심 5-1 몫을 반올림하여 소수 첫째 자리까지 구하기

```
         2.4 7  →  2.5
  0.7 )1.7 3 0
        1 4
         3 3
         2 8
           5 0
           4 9
             1
```

몫을 반올림하여 소수 첫째 자리까지 구하려면 소수 둘째 자리에서 반올림해야 합니다.

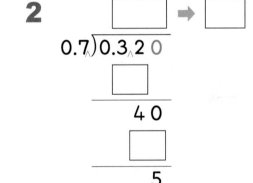

🌸 몫을 반올림하여 소수 첫째 자리까지 구하시오. (1~20)

1 ☐ → ☐

```
  0.3 )0.2 3 0
       ☐
         2 0
       ☐
           2
```

2 ☐ → ☐

```
  0.7 )0.3 2 0
       ☐
         4 0
       ☐
           5
```

3 ☐ → ☐

```
  0.8 )1.3 7 0
       ☐
         5 7
       ☐
         1 0
       ☐
           2
```

4 ☐ → ☐

```
  2.1 )8.1 5 0
       ☐
       1 8 5
       ☐
       1 7 0
       ☐
           2
```

5

$0.2 \overline{)0.75}$

6

$0.3 \overline{)1.45}$

7

$0.5 \overline{)2.14}$

8

$0.6 \overline{)0.95}$

9

$0.8 \overline{)1.86}$

10

$1.4 \overline{)2.43}$

11

$1.9 \overline{)1.53}$

12

$2.7 \overline{)3.99}$

13
$3.8 \overline{)10.52}$

14
$5.5 \overline{)8.52}$

15
$6.1 \overline{)3.18}$

16
$9.7 \overline{)10.25}$

17
$0.43 \overline{)3.215}$

18
$0.93 \overline{)0.542}$

19
$2.29 \overline{)5.113}$

20
$4.15 \overline{)6.123}$

시간	1~15분	15~18분	18~21분	점수 A + 점수 B	8~10점	5~7점	1~4점
점수 A	5	3	1				
맞은 개수	16~18개	11~15개	1~10개		참 잘했어요	잘했어요	좀더 노력하세요
점수 B	5	3	1				

핵심 5-2 몫을 반올림하여 소수 둘째 자리까지 구하기

```
            1.3 7 7  →  1.38
   0.9ᴧ)1.2ᴧ4 0 0
        9
        3 4
        2 7
          7 0
          6 3
            7 0
            6 3
              7
```

몫을 반올림하여 소수 둘째 자리까지 구하려면 소수 셋째 자리에서 반올림해야 합니다.

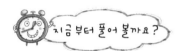 지금 부터 풀어 볼까요?

❀ 몫을 반올림하여 소수 둘째 자리까지 구하시오. (1~18)

1 ☐ ➡ ☐

```
   0.9ᴧ)1.5ᴧ8 0 0
        ☐
        6 8
        ☐
          5 0
          ☐
          5 0
            ☐
            5
```

2 ☐ ➡ ☐

```
   3.4ᴧ)7.3ᴧ7 0 0
        ☐
        5 7
        ☐
          2 3 0
          ☐
          2 6 0
            ☐
            2 2
```

3　$0.3\overline{\smash{)}2.14}$

4　$0.4\overline{\smash{)}0.73}$

5　$0.4\overline{\smash{)}1.23}$

6　$0.6\overline{\smash{)}3.22}$

7　$0.7\overline{\smash{)}0.93}$

8　$0.8\overline{\smash{)}1.59}$

9　$0.9\overline{\smash{)}8.13}$

10　$1.3\overline{\smash{)}1.51}$

11 2.5$\overline{)1.18}$

12 3.7$\overline{)10.65}$

13 5.1$\overline{)3.77}$

14 6.3$\overline{)7.22}$

15 0.36$\overline{)0.745}$

16 0.57$\overline{)2.418}$

17 1.84$\overline{)5.013}$

18 4.26$\overline{)5.196}$

시간	1~12분	12~14분	14~16분	16~18분	18~20분	점수 A + 점수 B	9~10점	7~8점	1~6점
점수 A	5	4	3	2	1				
맞은 개수	18~20개	15~17개	12~14개	9~11개	1~8개		참 잘했어요	잘했어요	좀더 노력하세요
점수 B	5	4	3	2	1				

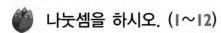

🌷 나눗셈을 하시오. (1~12)

1 $4.9 \div 0.7 = \dfrac{49}{10} \div \dfrac{\boxed{}}{10}$

$= 49 \div \boxed{} = \boxed{}$

2 $1.6\,)\overline{12.8}$

3 $0.28\,)\overline{1.12}$

4 $2.42\,)\overline{31.46}$

5 $2.04 \div 0.6 = \dfrac{20.4}{10} \div \dfrac{\boxed{}}{10}$

$= 20.4 \div \boxed{}$

$= \boxed{}$

6 $3.7\,)\overline{2.96}$

7 $0.64\,)\overline{3.008}$

8 $5.18\,)\overline{9.842}$

9 $40 \div 2.5 = \dfrac{400}{10} \div \dfrac{\boxed{}}{10}$

$= 400 \div \boxed{} = \boxed{}$

10 $0.8\,)\overline{12}$

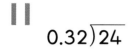
11

$0.32\overline{)24}$

12

$2.25\overline{)45}$

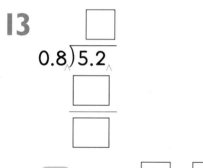 나눗셈의 몫을 자연수 부분까지 구하고, 검산해 보시오. (13~16)

13

$0.8\overline{)5.2_\wedge}$

검산 $0.8 \times \boxed{} + \boxed{} = 5.2$

14

$2.7\overline{)12.3}$

검산 ----------

15

$0.5\overline{)8.12}$

검산 ----------

16

$3.7\overline{)10.54}$

검산 ----------

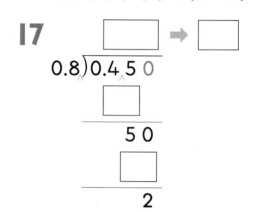 나눗셈의 몫을 반올림하여 소수 첫째 자리까지 구하시오. (17~18)

17

$0.8_\wedge\overline{)0.4_\wedge50}$

18

$5.4\overline{)13.43}$

나눗셈의 몫을 반올림하여 소수 둘째 자리까지 구하시오. (19~20)

19

$0.7\overline{)3.14}$

20

$1.39\overline{)5.882}$

4

분수와 소수의 나눗셈

핵심 1 (소수)÷(분수)

- 분수를 소수로 고쳐서 계산하기

$$1.2 \div \frac{4}{5} = 1.2 \div 0.8 = 1.5$$

① 분수를 소수로 고칩니다.

② 소수의 나눗셈을 합니다.

- 소수를 분수로 고쳐서 계산하기

$$1.2 \div \frac{4}{5} = \frac{12}{10} \div \frac{4}{5} = \overset{3}{\underset{2}{\cancel{\frac{12}{10}}}} \times \overset{1}{\underset{1}{\cancel{\frac{5}{4}}}} = \frac{3}{2} = 1.5$$

① 소수를 분수로 고칩니다.

② 나눗셈을 곱셈으로 고칩니다.

③ 약분하여 계산합니다.

핵심 2 (분수)÷(소수)

- 소수를 분수로 고쳐서 계산하기

$$\frac{3}{4} \div 0.3 = \frac{3}{4} \div \frac{3}{10} = \overset{1}{\underset{2}{\cancel{\frac{3}{4}}}} \times \overset{5}{\underset{1}{\cancel{\frac{10}{3}}}} = \frac{5}{2} = 2\frac{1}{2}$$

① 소수를 분수로 고칩니다.

② 나눗셈을 곱셈으로 고치고, 약분하여 계산합니다.

③ 몫이 가분수이면 대분수로 고칩니다.

- 분수를 소수로 고쳐서 계산하기

$$\frac{3}{4} \div 0.3 = 0.75 \div 0.3 = 2.5$$

① 분수를 소수로 고칩니다.

② 소수의 나눗셈을 합니다.

분수와 소수의 나눗셈에서 소수로 나누어 떨어지지 않는 계산은 소수를 분수로 고쳐서 계산하는 것이 정확합니다.

$\frac{1}{5} \div 0.6$

➡ $0.2 \div 0.6 = 0.333\cdots$

➡ $\frac{1}{5} \div \frac{6}{10} = \frac{1}{3}$

핵심 1-1 (소수 한 자리)÷(분수)①

분수를 소수로 고쳐서 (소수 한 자리)÷(소수)를 계산합니다.

$$0.6 \div \frac{2}{5} = 0.6 \div 0.4 = 1.5$$

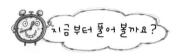

✿ 분수를 소수로 고쳐서 계산하시오. (1~20)

1 $1.5 \div \dfrac{1}{2} = 1.5 \div \boxed{} = \boxed{}$

2 $1.8 \div \dfrac{2}{5} = 1.8 \div \boxed{} = \boxed{}$

3 $0.9 \div \dfrac{3}{5} = 0.9 \div \boxed{} = \boxed{}$

4 $0.6 \div \dfrac{1}{2} = 0.6 \div \boxed{} = \boxed{}$

5 $0.7 \div \dfrac{1}{4} = 0.7 \div \boxed{} = \boxed{}$

6 $1.8 \div 1\dfrac{1}{5} = 1.8 \div \boxed{} = \boxed{}$

7 $1.2 \div \dfrac{2}{5} =$

8 $1.8 \div \dfrac{2}{5} =$

9 $0.4 \div \dfrac{1}{5} =$

10 $0.9 \div \dfrac{3}{10} =$

11 $0.3 \div \dfrac{3}{5} =$

12 $0.2 \div \dfrac{1}{4} =$

13 $0.6 \div \dfrac{3}{20} =$

14 $0.8 \div \dfrac{8}{25} =$

15 $3.6 \div 1\dfrac{1}{5} =$

16 $4.8 \div 3\dfrac{1}{5} =$

17 $4.5 \div \dfrac{3}{4} =$

18 $1.6 \div 1\dfrac{1}{4} =$

19 $2.1 \div 2\dfrac{1}{2} =$

20 $2.5 \div 1\dfrac{1}{4} =$

핵심 1-2 (소수 한 자리) ÷ (분수) ②

소수를 분수로 고쳐서 (분수)÷(분수)를 계산합니다.

$$0.6 \div \frac{2}{5} = \frac{6}{10} \div \frac{2}{5} = \frac{\cancel{6}^{3}}{\cancel{10}_{2}} \times \frac{\cancel{5}^{1}}{\cancel{2}_{1}} = \frac{3}{2} = 1\frac{1}{2}$$

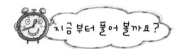

🌸 소수를 분수로 고쳐서 계산하시오. (1~18)

1 $0.3 \div \frac{1}{3} = \frac{3}{\square} \div \frac{1}{3} = \frac{3}{\square} \times 3 = \frac{9}{\square}$

2 $0.9 \div \frac{3}{7} = \frac{9}{\square} \div \frac{3}{7} = \frac{\cancel{9}^{\square}}{\square} \times \frac{7}{\cancel{3}_{1}} = \frac{\square}{\square} = \square\frac{\square}{\square}$

3 $0.9 \div \frac{7}{9} = \frac{9}{\square} \div \frac{7}{9} = \frac{9}{\square} \times \frac{9}{7} = \frac{81}{\square} = \square\frac{\square}{\square}$

4 $2.1 \div \frac{5}{7} = \frac{21}{\square} \div \frac{5}{7} = \frac{21}{\square} \times \frac{7}{5} = \frac{147}{\square} = \square\frac{\square}{\square}$

5 $0.2 \div \dfrac{1}{3} =$

6 $0.3 \div \dfrac{3}{4} =$

7 $0.4 \div \dfrac{2}{7} =$

8 $0.5 \div \dfrac{5}{6} =$

9 $0.6 \div \dfrac{1}{4} =$

10 $0.7 \div \dfrac{7}{8} =$

11 $0.8 \div \dfrac{2}{3} =$

12 $0.9 \div \dfrac{5}{12} =$

13 $1.4 \div \dfrac{7}{10} =$

14 $2.4 \div \dfrac{3}{8} =$

15 $2.5 \div 1\dfrac{3}{4} =$

16 $3.2 \div 1\dfrac{7}{8} =$

17 $3.5 \div 2\dfrac{1}{2} =$

18 $3.8 \div 3\dfrac{9}{10} =$

핵심 1-3 (소수 두 자리)÷(분수)①

분수를 소수로 고쳐서 (소수 두 자리)÷(소수)를 계산합니다.

$$0.42 \div \frac{1}{5} = 0.42 \div 0.2 = 2.1$$

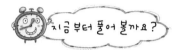

❀ 분수를 소수로 고쳐서 계산하시오. (1~20)

1 $0.15 \div \dfrac{1}{2} = 0.15 \div \boxed{} = \boxed{}$

2 $0.84 \div \dfrac{2}{5} = 0.84 \div \boxed{} = \boxed{}$

3 $1.54 \div \dfrac{7}{10} = 1.54 \div \boxed{} = \boxed{}$

4 $0.45 \div \dfrac{3}{4} = 0.45 \div \boxed{} = \boxed{}$

5 $2.25 \div 1\dfrac{1}{2} = 2.25 \div \boxed{} = \boxed{}$

6 $6.72 \div 2\dfrac{2}{5} = 6.72 \div \boxed{} = \boxed{}$

7 $0.16 \div \dfrac{4}{5} =$

8 $0.35 \div \dfrac{1}{2} =$

9 $0.42 \div \dfrac{7}{10} =$

10 $0.72 \div \dfrac{3}{5} =$

11 $1.24 \div \dfrac{2}{5} =$

12 $2.55 \div 1\dfrac{1}{2} =$

13 $2.94 \div 1\dfrac{1}{5} =$

14 $0.24 \div \dfrac{1}{4} =$

15 $0.35 \div \dfrac{7}{25} =$

16 $0.68 \div \dfrac{17}{20} =$

17 $0.85 \div \dfrac{1}{4} =$

18 $1.95 \div \dfrac{3}{4} =$

19 $2.46 \div 1\dfrac{16}{25} =$

20 $3.71 \div 2\dfrac{13}{20} =$

핵심 1-4 (소수 두 자리)÷(분수)②

소수를 분수로 고쳐서 (분수)÷(분수)를 계산합니다.

$$0.42 \div \frac{1}{5} = \frac{42}{100} \div \frac{1}{5} = \frac{\overset{21}{\cancel{42}}}{\underset{\underset{10}{20}}{\cancel{100}}} \times \frac{\overset{1}{\cancel{5}}}{1} = \frac{21}{10} = 2\frac{1}{10}$$

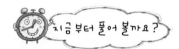

🌸 소수를 분수로 고쳐서 계산하시오. (1~18)

1 $0.17 \div \frac{2}{3} = \frac{17}{\boxed{}} \div \frac{2}{3} = \frac{17}{\boxed{}} \times \frac{3}{2} = \frac{51}{\boxed{}}$

2 $0.45 \div \frac{5}{9} = \frac{45}{\boxed{}} \div \frac{5}{9} = \frac{\overset{\boxed{}}{\cancel{45}}}{\boxed{}} \times \frac{9}{\underset{1}{\cancel{5}}} = \frac{\boxed{}}{\boxed{}}$

3 $0.65 \div \frac{5}{7} = \frac{65}{\boxed{}} \div \frac{5}{7} = \frac{\overset{\boxed{}}{\cancel{65}}}{\boxed{}} \times \frac{7}{\underset{1}{\cancel{5}}} = \frac{\boxed{}}{\boxed{}}$

4 $1.24 \div \frac{4}{9} = \frac{124}{\boxed{}} \div \frac{4}{9} = \frac{\overset{\boxed{}}{\cancel{124}}}{\boxed{}} \times \frac{9}{\underset{1}{\cancel{4}}} = \frac{279}{\boxed{}} = \boxed{}\frac{\boxed{}}{\boxed{}}$

5 $0.12 \div \dfrac{1}{4} =$

6 $0.25 \div \dfrac{2}{5} =$

7 $0.32 \div \dfrac{5}{8} =$

8 $0.45 \div \dfrac{13}{20} =$

9 $0.54 \div \dfrac{6}{7} =$

10 $0.63 \div \dfrac{7}{8} =$

11 $0.76 \div \dfrac{4}{25} =$

12 $0.81 \div \dfrac{9}{20} =$

13 $0.96 \div \dfrac{12}{25} =$

14 $1.14 \div \dfrac{3}{4} =$

15 $1.32 \div \dfrac{12}{13} =$

16 $2.05 \div 1\dfrac{1}{4} =$

17 $2.71 \div 3\dfrac{1}{2} =$

18 $3.14 \div 1\dfrac{2}{5} =$

핵심 2-1 (분수)÷(소수 한 자리)①

소수를 분수로 고쳐서 (분수)÷(분수)를 계산합니다.

$$\frac{1}{4} \div 0.5 = \frac{1}{4} \div \frac{5}{10} = \frac{1}{\underset{2}{4}} \times \frac{\overset{\overset{1}{5}}{10}}{\underset{1}{5}} = \frac{1}{2}$$

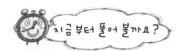

🌸 소수를 분수로 고쳐서 계산하시오. (1~18)

1 $\dfrac{1}{7} \div 0.3 = \dfrac{1}{7} \div \dfrac{3}{\boxed{}} = \dfrac{1}{7} \times \dfrac{\boxed{}}{3} = \dfrac{\boxed{}}{21}$

2 $\dfrac{5}{9} \div 0.5 = \dfrac{5}{9} \div \dfrac{5}{\boxed{}} = \dfrac{5}{9} \times \dfrac{\boxed{}}{\underset{\boxed{}}{5}} = \dfrac{\boxed{}}{\boxed{}} = \dfrac{\boxed{}\boxed{}}{\boxed{}}$

3 $\dfrac{5}{7} \div 1.3 = \dfrac{5}{7} \div \dfrac{13}{\boxed{}} = \dfrac{5}{7} \times \dfrac{\boxed{}}{13} = \dfrac{\boxed{}}{\boxed{}}$

4 $2\dfrac{5}{9} \div 2.1 = \dfrac{\boxed{}}{9} \div \dfrac{21}{\boxed{}} = \dfrac{\boxed{}}{9} \times \dfrac{\boxed{}}{21} = \dfrac{\boxed{}}{189} = \boxed{}\dfrac{\boxed{}}{189}$

5 $\dfrac{1}{6} \div 0.2 =$

6 $\dfrac{1}{3} \div 0.3 =$

7 $\dfrac{2}{7} \div 0.4 =$

8 $\dfrac{3}{8} \div 0.5 =$

9 $\dfrac{4}{5} \div 0.6 =$

10 $\dfrac{3}{10} \div 0.7 =$

11 $\dfrac{13}{20} \div 0.8 =$

12 $\dfrac{7}{8} \div 0.9 =$

13 $\dfrac{2}{3} \div 1.2 =$

14 $\dfrac{24}{25} \div 1.8 =$

15 $1\dfrac{3}{4} \div 2.1 =$

16 $1\dfrac{2}{3} \div 2.5 =$

17 $3\dfrac{3}{7} \div 3.2 =$

18 $4\dfrac{3}{8} \div 4.5 =$

핵심 2-2 (분수)÷(소수 한 자리)②

분수를 소수로 고쳐서 (소수)÷(소수 한 자리)를 계산합니다.

$$\frac{1}{4} \div 0.5 = 0.25 \div 0.5 = 0.5$$

지금부터 풀어 볼까요?

❁ 분수를 소수로 고쳐서 계산하고, 나누어 떨어지지 않을 때에는 소수 둘째 자리에서 반올림하시오. (1~20)

1 $\frac{4}{5} \div 0.2 = \boxed{} \div 0.2 = \boxed{}$

2 $\frac{9}{10} \div 0.6 = \boxed{} \div 0.6 = \boxed{}$

3 $\frac{1}{5} \div 0.8 = \boxed{} \div 0.8 = \boxed{}$

4 $\frac{24}{25} \div 1.6 = \boxed{} \div 1.6 = \boxed{}$

5 $1\frac{2}{5} \div 2.4 = \boxed{} \div 2.4 = \boxed{}$

6 $5\frac{11}{20} \div 3.1 = \boxed{} \div 3.1 = \boxed{}$

7 $\dfrac{9}{10} \div 0.3 =$

8 $\dfrac{1}{2} \div 0.2 =$

9 $\dfrac{1}{4} \div 0.5 =$

10 $\dfrac{3}{5} \div 0.7 =$

11 $\dfrac{18}{25} \div 0.6 =$

12 $\dfrac{7}{25} \div 0.8 =$

13 $\dfrac{3}{5} \div 0.8 =$

14 $\dfrac{21}{25} \div 1.2 =$

15 $\dfrac{3}{4} \div 1.3 =$

16 $\dfrac{16}{25} \div 1.6 =$

17 $1\dfrac{1}{2} \div 2.5 =$

18 $1\dfrac{24}{25} \div 2.8 =$

19 $2\dfrac{22}{25} \div 3.2 =$

20 $4\dfrac{2}{5} \div 3.5 =$

핵심 2-3 (분수)÷(소수 두 자리)①

소수를 분수로 고쳐서 (분수)÷(분수)를 계산합니다.

$$\frac{3}{4} \div 0.15 = \frac{3}{4} \div \frac{15}{100} = \frac{3}{4} \times \frac{\overset{5}{\overset{25}{\cancel{100}}}}{\underset{1}{\underset{5}{\cancel{15}}}} = 5$$

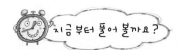

🌸 소수를 분수로 고쳐서 계산하시오. (1~20)

1 $\dfrac{1}{7} \div 0.19 = \dfrac{1}{7} \div \dfrac{19}{\boxed{}} = \dfrac{1}{7} \times \dfrac{\boxed{}}{19} = \dfrac{\boxed{}}{133}$

2 $\dfrac{3}{7} \div 0.33 = \dfrac{3}{7} \div \dfrac{33}{\boxed{}} = \dfrac{3}{7} \times \dfrac{\boxed{}}{\underset{\boxed{}}{33}} = \dfrac{\boxed{}}{\boxed{}} = \boxed{}\dfrac{\boxed{}}{\boxed{}}$

3 $\dfrac{2}{3} \div 1.07 = \dfrac{2}{3} \div \dfrac{107}{\boxed{}} = \dfrac{2}{3} \times \dfrac{\boxed{}}{107} = \dfrac{\boxed{}}{\boxed{}}$

4 $1\dfrac{1}{3} \div 1.48 = \dfrac{\boxed{}}{3} \div \dfrac{148}{\boxed{}} = \dfrac{4}{3} \times \dfrac{\boxed{}}{\underset{\boxed{}}{148}} = \dfrac{\boxed{}}{\boxed{}}$

5 $\dfrac{1}{5} \div 0.15 =$

6 $\dfrac{1}{4} \div 0.24 =$

7 $\dfrac{3}{8} \div 0.39 =$

8 $\dfrac{7}{10} \div 0.42 =$

9 $\dfrac{5}{9} \div 0.55 =$

10 $\dfrac{3}{4} \div 0.63 =$

11 $\dfrac{2}{3} \div 0.78 =$

12 $\dfrac{16}{25} \div 0.84 =$

13 $\dfrac{5}{12} \div 0.95 =$

14 $\dfrac{2}{5} \div 1.12 =$

15 $\dfrac{7}{8} \div 1.54 =$

16 $1\dfrac{3}{4} \div 2.17 =$

17 $2\dfrac{2}{3} \div 2.56 =$

18 $2\dfrac{7}{10} \div 3.15 =$

핵심 2-4 (분수)÷(소수 두 자리)②

분수를 소수로 고쳐서 (소수)÷(소수 두 자리)를 계산합니다.

$$\frac{3}{4} \div 0.15 = 0.75 \div 0.15 = 5$$

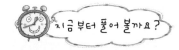

✿ 분수를 소수로 고쳐서 계산하고, 나누어 떨어지지 않을 때에는 소수 둘째 자리에서 반올림하시오. (1~20)

1 $\frac{3}{4} \div 0.25 = \boxed{} \div 0.25 = \boxed{}$

2 $\frac{7}{25} \div 0.56 = \boxed{} \div 0.56 = \boxed{}$

3 $\frac{11}{50} \div 0.88 = \boxed{} \div 0.88 = \boxed{}$

4 $\frac{1}{2} \div 1.25 = \boxed{} \div 1.25 = \boxed{}$

5 $2\frac{19}{25} \div 1.58 = \boxed{} \div 1.58 = \boxed{}$

6 $3\frac{39}{50} \div 3.16 = \boxed{} \div 3.16 = \boxed{}$

7 $\dfrac{4}{5} \div 0.16 =$

8 $\dfrac{21}{50} \div 0.28 =$

9 $\dfrac{7}{25} \div 0.35 =$

10 $\dfrac{9}{50} \div 0.46 =$

11 $\dfrac{39}{50} \div 0.52 =$

12 $\dfrac{13}{25} \div 0.65 =$

13 $\dfrac{9}{25} \div 0.72 =$

14 $\dfrac{17}{50} \div 0.85 =$

15 $\dfrac{3}{4} \div 1.42 =$

16 $1\dfrac{2}{5} \div 1.75 =$

17 $1\dfrac{9}{100} \div 2.18 =$

18 $4\dfrac{1}{2} \div 3.75 =$

19 $4\dfrac{43}{50} \div 3.24 =$

20 $5\dfrac{2}{5} \div 5.14 =$

시간	1~10분	10~12분	12~14분	14~16분	16~18분	점수A + 점수B	9~10점	7~8점	1~6점
점수 A	5	4	3	2	1		참 잘했어요	잘했어요	좀더 노력하세요
맞은 개수	18~20개	15~17개	12~14개	9~11개	1~8개				
점수 B	5	4	3	2	1				

🌷 분수를 소수로 고쳐서 계산하시오.

(1~5)

1 $1.6 \div \dfrac{4}{5} = 1.6 \div \boxed{} = \boxed{}$

2 $0.3 \div \dfrac{1}{2} =$

3 $1.5 \div 1\dfrac{1}{5} =$

4 $0.34 \div \dfrac{17}{20} =$

5 $2.24 \div 2\dfrac{4}{5} =$

🌷 소수를 분수로 고쳐서 계산하시오.

(6~10)

6 $0.2 \div \dfrac{6}{7} = \dfrac{2}{\boxed{}} \div \dfrac{6}{7}$

$\quad = \dfrac{\boxed{}}{\boxed{}} \times \dfrac{7}{\underset{3}{6}}$

$\quad = \dfrac{\boxed{}}{\boxed{}}$

7 $0.6 \div \dfrac{2}{5} =$

8 $2.1 \div 1\dfrac{3}{4} =$

9 $0.57 \div \dfrac{9}{10} =$

10 $1.72 \div 2\dfrac{2}{5} =$

 소수를 분수로 고쳐서 계산하시오.
(11~15)

11 $\dfrac{3}{7} \div 0.9 = \dfrac{3}{7} \div \dfrac{9}{\boxed{}}$

$= \dfrac{3}{7} \times \dfrac{\boxed{}}{9}$

$= \dfrac{\boxed{}}{\boxed{}}$

12 $\dfrac{17}{20} \div 0.7 =$

13 $1\dfrac{3}{5} \div 3.6 =$

14 $\dfrac{5}{8} \div 0.95 =$

15 $3\dfrac{3}{4} \div 1.25 =$

 분수를 소수로 고쳐서 계산하고, 나누어 떨어지지 않을 때에는 소수 둘째 자리에서 반올림하시오. (16~20)

16 $\dfrac{3}{5} \div 0.5 = \boxed{} \div 0.5 = \boxed{}$

17 $\dfrac{17}{20} \div 0.2 =$

18 $2\dfrac{3}{4} \div 1.5 =$

19 $\dfrac{16}{25} \div 0.16 =$

20 $1\dfrac{1}{2} \div 2.24 =$

5

분수와 소수의 혼합 계산

핵심 1 곱셈, 나눗셈, 덧셈(뺄셈)의 혼합 계산

- 괄호가 없는 혼합 계산

$$0.4 + \frac{3}{5} \times 0.5 = \frac{4}{10} + \frac{3}{5} \times \frac{5}{10}$$
$$= \frac{4}{10} + \frac{3}{10} = \frac{7}{10}$$

곱셈, 나눗셈, 덧셈, 뺄셈이 섞여 있는 식에서는 곱셈, 나눗셈을 먼저 계산합니다.

- 괄호가 있는 혼합 계산

$$\left(0.4 + \frac{3}{5}\right) \times 0.5 = \left(\frac{4}{10} + \frac{6}{10}\right) \times \frac{5}{10} = 1 \times \frac{5}{10} = \frac{1}{2}$$

괄호가 있으면 괄호 안부터 먼저 계산합니다.

핵심 2 곱셈, 나눗셈의 혼합 계산

$$0.8 \times 1\frac{1}{5} \div 0.2 = \frac{8}{10} \times \frac{6}{5} \div \frac{2}{10}$$
$$= \frac{24}{25} \div \frac{2}{10} = \frac{24}{25} \times \frac{10}{2} = \frac{24}{5} = 4\frac{4}{5}$$

곱셈과 나눗셈이 섞여 있는 식에서는 앞에서부터 차례로 계산합니다.

핵심 3 사칙 연산

$$2.5 + \left(1\frac{1}{2} - \frac{2}{5}\right) \div 0.2 \times 1.4 = \frac{25}{10} + \frac{11}{10} \div \frac{2}{10} \times \frac{14}{10}$$
$$= \frac{25}{10} + \frac{11}{10} \times \frac{10}{2} \times \frac{14}{10}$$
$$= \frac{25}{10} + \frac{11}{2} \times \frac{14}{10}$$
$$= \frac{25}{10} + \frac{77}{10} = 10\frac{1}{5}$$

혼합 계산의 순서
① 괄호 안을 먼저 계산합니다.
② 곱셈, 나눗셈을 덧셈, 뺄셈보다 먼저 계산합니다.
③ 곱셈과 나눗셈끼리는 앞에서부터 차례로 계산합니다.

핵심 1-1 괄호가 없는 덧셈, 곱셈(나눗셈)의 혼합 계산

• 소수를 분수로 고쳐서 계산하기

$$2\frac{1}{5} + \frac{1}{2} \times 1.2 = 2\frac{1}{5} + \frac{1}{2} \times \frac{12}{10}$$
$$= 2\frac{1}{5} + \frac{3}{5}$$
$$= 2\frac{4}{5}$$

• 분수를 소수로 고쳐서 계산하기

$$2\frac{1}{5} + \frac{1}{2} \times 1.2 = 2.2 + 0.5 \times 1.2$$
$$= 2.2 + 0.6$$
$$= 2.8$$

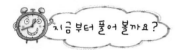 지금부터 풀어 볼까요?

❀ 소수를 분수로 고쳐서 계산하시오. (1~2)

1 $\dfrac{2}{5} + \dfrac{1}{2} \div 0.6 = \dfrac{2}{5} + \dfrac{1}{2} \div \dfrac{\square}{10} = \dfrac{2}{5} + \dfrac{\square}{6} = \dfrac{\square\square}{30}$

2 $3 \div 0.6 + 1\dfrac{1}{2} = 3 \div \dfrac{\square}{10} + 1\dfrac{1}{2} = 3 \times \dfrac{10}{\square} + 1\dfrac{1}{2} = \square + 1\dfrac{1}{2} = \square\dfrac{\square}{2}$

❀ 분수를 소수로 고쳐서 계산하시오. (3~4)

3 $2.4 \times \dfrac{3}{4} + 1.3 = 2.4 \times \boxed{} + 1.3 = \boxed{} + 1.3 = \boxed{}$

4 $1\dfrac{1}{5} + \dfrac{1}{4} \times 1.6 = \boxed{} + \boxed{} \times 1.6 = \boxed{} + \boxed{} = \boxed{}$

✿ 다음을 계산하시오. (5~24)

5 $1.4 + \dfrac{3}{5} \times 2\dfrac{1}{2} =$

6 $1\dfrac{1}{5} + 0.8 \times 3\dfrac{1}{4} =$

7 $\dfrac{1}{4} + 0.8 \times 1\dfrac{3}{5} =$

8 $1\dfrac{4}{5} + 3\dfrac{1}{2} \times 0.2 =$

9 $0.6 + 2 \times \dfrac{4}{5} =$

10 $3\dfrac{7}{10} + 1\dfrac{1}{4} \times 0.2 =$

11 $0.2 + 2.7 \times \dfrac{3}{5} =$

12 $1.3 + 1.5 \times \dfrac{3}{10} =$

13 $1\dfrac{1}{2} + 0.5 \times 2\dfrac{2}{5} =$

14 $0.2 + 1.8 \times \dfrac{1}{4} =$

15 $1.2 + \dfrac{3}{5} \div 2 =$

16 $0.9 + 1.5 \div 1\dfrac{1}{4} =$

17 $0.25 + 8 \div 1\dfrac{3}{5} =$

18 $\dfrac{1}{2} + 4.5 \div 3\dfrac{3}{5} =$

19 $0.7 + 4\dfrac{1}{2} \div 3 =$

20 $1.3 + 6 \div 2\dfrac{2}{5} =$

21 $1\dfrac{1}{10} + 1.2 \div \dfrac{1}{4} =$

22 $2.1 + 3 \div 1\dfrac{1}{5} =$

23 $1.2 + 0.7 \div 2\dfrac{1}{2} =$

24 $0.4 + 3 \div 1\dfrac{1}{4} =$

시간	1~12분	12~15분	15~18분	점수 A + 점수 B	8~10점	5~7점	1~4점
점수 A	5	3	1				
맞은 개수	21~24개	15~20개	1~14개		참 잘했어요	잘했어요	좀더 노력하세요
점수 B	5	3	1				

핵심 1-2 괄호가 있는 덧셈, 곱셈(나눗셈)의 혼합 계산

• 소수를 분수로 고쳐서 계산하기

$$\left(1\frac{1}{4}+\frac{7}{10}\right)\times 1.2 = \left(1\frac{1}{4}+\frac{7}{10}\right)\times\frac{12}{10}$$

①

②

$$= 1\frac{19}{20}\times\frac{12}{10}$$

$$= 2\frac{17}{50}$$

• 분수를 소수로 고쳐서 계산하기

$$\left(1\frac{1}{4}+\frac{7}{10}\right)\times 1.2 = (1.25+0.7)\times 1.2$$

①

②

$$= 1.95\times 1.2$$

$$= 2.34$$

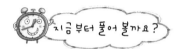

🌸 소수를 분수로 고쳐서 계산하시오. (1~2)

1 $2\frac{3}{4}\times\left(0.4+1\frac{1}{5}\right) = 2\frac{3}{4}\times\left(\frac{\square}{10}+1\frac{1}{5}\right) = 2\frac{3}{4}\times\frac{\square}{5} = \square\frac{\square}{5}$

2 $\left(2.4+\frac{3}{5}\right)\div 1\frac{1}{5} = \left(2\frac{\square}{10}+\frac{3}{5}\right)\div 1\frac{1}{5} = \square\div 1\frac{1}{5} = \square\frac{\square}{2}$

🌸 분수를 소수로 고쳐서 계산하시오. (3~4)

3 $\left(2\frac{4}{5}+1.3\right)\times 7 = (\square+1.3)\times 7 = \square\times 7 = \square$

4 $2.5\times\left(3.2+\frac{2}{5}\right) = 2.5\times(3.2+\square) = 2.5\times\square = \square$

✿ 다음을 계산하시오. (5~24)

5 $\left(2\dfrac{2}{5}+1.2\right)\times 1\dfrac{1}{2}=$

6 $\left(1.4+2\dfrac{3}{5}\right)\times\dfrac{3}{8}=$

7 $\left(1.8+3\dfrac{4}{5}\right)\times\dfrac{1}{4}=$

8 $\left(0.7+1.55\right)\times\dfrac{4}{5}=$

9 $\left(\dfrac{3}{4}+1\dfrac{1}{5}\right)\times 0.4=$

10 $\left(\dfrac{1}{2}+3.2\right)\div 0.5=$

11 $\left(2.4+\dfrac{3}{5}\right)\div 1\dfrac{1}{5}=$

12 $\left(2\dfrac{1}{4}+1.6\right)\div\dfrac{1}{4}=$

13 $\left(\dfrac{3}{4}+\dfrac{1}{2}\right)\div 5=$

14 $\left(1.5+\dfrac{4}{5}\right)\div 0.4=$

15 $2.5 \times \left(0.4 + 3\dfrac{1}{5}\right) =$

16 $1.2 \times \left(3\dfrac{1}{2} + 0.9\right) =$

17 $\dfrac{1}{2} \times \left(\dfrac{4}{5} + 1.7\right) =$

18 $5 \times \left(1.7 + \dfrac{1}{5}\right) =$

19 $4\dfrac{1}{5} \times \left(\dfrac{1}{2} + 0.7\right) =$

20 $1\dfrac{1}{2} \div \left(\dfrac{4}{5} + 1.7\right) =$

21 $5 \div \left(3\dfrac{1}{4} + 0.5\right) =$

22 $0.7 \div \left(1.1 + 1\dfrac{2}{5}\right) =$

23 $1.2 \div \left(\dfrac{1}{4} + 1\dfrac{1}{2}\right) =$

24 $3\dfrac{3}{5} \div \left(1\dfrac{1}{5} + 0.3\right) =$

핵심 1-3 괄호가 없는 뺄셈, 곱셈(나눗셈)의 혼합 계산

• 소수를 분수로 고쳐서 계산하기

$$2\frac{1}{2} - \frac{7}{10} \times 0.5 = 2\frac{1}{2} - \frac{7}{10} \times \frac{5}{10}$$
$$= 2\frac{1}{2} - \frac{7}{20}$$
$$= 2\frac{3}{20}$$

• 분수를 소수로 고쳐서 계산하기

$$2\frac{1}{2} - \frac{7}{10} \times 0.5 = 2.5 - 0.7 \times 0.5$$
$$= 2.5 - 0.35$$
$$= 2.15$$

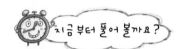

지금부터 풀어 볼까요?

❀ 소수를 분수로 고쳐서 계산하시오. (1~2)

1 $2.5 - 1\frac{4}{5} \times \frac{1}{2} = \dfrac{\Box}{10} - 1\frac{4}{5} \times \frac{1}{2} = \dfrac{\Box}{10} - \dfrac{\Box}{10} = \Box\dfrac{\Box}{5}$

2 $2\frac{1}{2} - 3.2 \div 4 = 2\frac{1}{2} - \dfrac{\Box}{10} \div 4 = 2\frac{1}{2} - \dfrac{\Box}{5} = \Box\dfrac{\Box}{10}$

❀ 분수를 소수로 고쳐서 계산하시오. (3~4)

3 $1\frac{1}{2} - 0.4 \times \frac{3}{4} = \Box - 0.4 \times \Box = \Box - \Box = \Box$

4 $1\frac{4}{5} - 2.4 \div 1\frac{3}{5} = \Box - 2.4 \div 1.6 = \Box - \Box = \Box$

5 $2 - 0.8 \times 2\frac{1}{5} =$

6 $\frac{7}{10} - 3.2 \times \frac{1}{5} =$

7 $2\frac{1}{4} - \frac{4}{5} \times 2.5 =$

8 $3.2 - 1.5 \times 1\frac{2}{5} =$

9 $5.9 - 8 \times \frac{5}{12} =$

10 $3.9 - 3.2 \times \frac{3}{4} =$

11 $2\frac{4}{5} - 1\frac{7}{10} \times 0.6 =$

12 $1\frac{3}{4} - 1.5 \times \frac{4}{25} =$

13 $1\frac{1}{2} - \frac{2}{5} \times 2.1 =$

14 $3\frac{17}{20} - 1\frac{2}{5} \times 1.25 =$

15 $1.8 - 3\dfrac{1}{5} \div 2 =$

16 $4\dfrac{1}{2} - 3 \div 1.2 =$

17 $3 - 1\dfrac{1}{4} \div 0.9 =$

18 $0.9 - 1\dfrac{1}{5} \div 2\dfrac{1}{2} =$

19 $1\dfrac{1}{2} - 3\dfrac{1}{5} \div 2.5 =$

20 $7\dfrac{1}{2} - 2\dfrac{1}{2} \div 0.4 =$

21 $3\dfrac{3}{4} - 1.2 \div 2\dfrac{1}{2} =$

22 $1.6 - 1\dfrac{3}{5} \div 2 =$

23 $2 - 1.4 \div 1\dfrac{1}{2} =$

24 $7 - 2\dfrac{4}{5} \div 0.8 =$

시간	1~12분	12~15분	15~18분	점수 A + 점수 B	8~10점	5~7점	1~4점
점수 A	5	3	1				
맞은 개수	21~24개	15~20개	1~14개		참 잘했어요	잘했어요	좀더 노력하세요
점수 B	5	3	1				

핵심 1-4 괄호가 있는 덧셈, 곱셈(나눗셈)의 혼합 계산

• 소수를 분수로 고쳐서 계산하기

$$\left(1\frac{1}{5}-0.6\right)\times1.6=\left(1\frac{1}{5}-\frac{6}{10}\right)\times\frac{16}{10}$$
$$=\frac{3}{5}\times\frac{16}{10}$$
$$=\frac{24}{25}$$

• 분수를 소수로 고쳐서 계산하기

$$\left(1\frac{1}{5}-0.6\right)\times1.6=(1.2-0.6)\times1.6$$
$$=0.6\times1.6$$
$$=0.96$$

지금 부터 풀어 볼까요?

❀ 소수를 분수로 고쳐서 계산하시오. (1~2)

1 $5\times\left(1.5-\dfrac{4}{5}\right)=5\times\left(\dfrac{\square}{10}-\dfrac{4}{5}\right)=5\times\dfrac{\square}{10}=\square\dfrac{\square}{2}$

2 $\left(1\dfrac{1}{2}-0.7\right)\div\dfrac{2}{5}=\left(1\dfrac{1}{2}-\dfrac{\square}{10}\right)\div\dfrac{2}{5}=\dfrac{\square}{5}\div\dfrac{2}{5}=\square$

❀ 분수를 소수로 고쳐서 계산하시오. (3~4)

3 $\left(3.2-1\dfrac{2}{5}\right)\times\dfrac{1}{2}=(3.2-\square)\times\square=\square\times\square=\square$

4 $2.4\div\left(2\dfrac{2}{5}-0.8\right)=2.4\div(\square-0.8)=2.4\div\square=\square$

5 $\left(0.9 - \dfrac{1}{2}\right) \times 2\dfrac{1}{4} =$

6 $\left(3\dfrac{2}{5} - 2.5\right) \times 1\dfrac{1}{4} =$

7 $\left(2 - 1\dfrac{3}{4}\right) \times 2\dfrac{1}{5} =$

8 $\left(2\dfrac{7}{10} - 1.2\right) \times 1.4 =$

9 $\left(4.2 - \dfrac{1}{2}\right) \times \dfrac{3}{10} =$

10 $\left(1.2 - \dfrac{4}{5}\right) \div \dfrac{1}{2} =$

11 $\left(2\dfrac{1}{2} - 1.3\right) \div 1\dfrac{4}{5} =$

12 $\left(4 - 1\dfrac{1}{5}\right) \div 0.7 =$

13 $\left(3.6 - \dfrac{9}{10}\right) \div 1\dfrac{1}{2} =$

14 $\left(1\dfrac{1}{4} - \dfrac{2}{5}\right) \div 0.5 =$

15 $1\dfrac{3}{4} \times \left(3 - \dfrac{3}{5}\right) =$

16 $0.8 \times \left(1.7 - \dfrac{1}{2}\right) =$

17 $1\dfrac{1}{2} \times \left(3.7 - 1\dfrac{1}{5}\right) =$

18 $1.4 \times \left(2\dfrac{3}{4} - 1.2\right) =$

19 $\dfrac{3}{10} \times \left(2\dfrac{4}{5} - 1.3\right) =$

20 $2 \div \left(2.4 - \dfrac{4}{5}\right) =$

21 $1\dfrac{1}{2} \div \left(3\dfrac{7}{10} - 1.2\right) =$

22 $3.6 \div \left(3\dfrac{3}{4} - 1\dfrac{1}{2}\right) =$

23 $2.5 \div \left(1.5 - \dfrac{1}{4}\right) =$

24 $\dfrac{9}{10} \div \left(1.2 - \dfrac{4}{5}\right) =$

시간	1~6분	6~8분	8~10분	점수A + 점수B	8~10점	5~7점	1~4점
점수A	5	3	1				
맞은 개수	12~14개	9~11개	1~8개		참 잘했어요	잘했어요	좀더 노력하세요
점수B	5	3	1				

핵심 2 곱셈과 나눗셈의 혼합 계산

• 소수를 분수로 고쳐서 계산하기

$$2.4 \div \frac{4}{5} \times 0.2 = 2\frac{4}{10} \div \frac{4}{5} \times \frac{2}{10}$$
$$= 3 \times \frac{2}{10}$$
$$= \frac{3}{5}$$

①②

• 분수를 소수로 고쳐서 계산하기

$$2.4 \div \frac{4}{5} \times 0.2 = 2.4 \div 0.8 \times 0.2$$
$$= 3 \times 0.2$$
$$= 0.6$$

①②

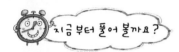

지금 부터 풀어 볼까요?

🌸 소수를 분수로 고쳐서 계산하시오. (1~2)

1 $2\frac{2}{5} \div 0.6 \times 1\frac{1}{2} = 2\frac{2}{5} \div \frac{\square}{10} \times 1\frac{1}{2} = \square \times 1\frac{1}{2} = \square$

2 $1.5 \times 1\frac{4}{5} \div 0.5 = \frac{\square}{10} \times \frac{9}{5} \div \frac{\square}{10} = \frac{\square}{10} \div \frac{\square}{10} = \square\frac{\square}{5}$

🌸 분수를 소수로 고쳐서 계산하시오. (3~4)

3 $1.2 \div \frac{1}{2} \times 3\frac{1}{4} = 1.2 \div \square \times \square = \square \times \square = \square$

4 $1\frac{1}{2} \times 1\frac{4}{5} \div 0.4 = \square \times \square \div 0.4 = \square \div 0.4 = \square$

✿ 다음을 계산하시오. (5~14)

5 $2\dfrac{1}{2} \div \dfrac{1}{2} \times 1.2 =$

6 $3\dfrac{3}{5} \div 1.2 \times \dfrac{4}{5} =$

7 $0.6 \div 1\dfrac{1}{5} \times 3.5 =$

8 $2.4 \div 0.5 \times 1\dfrac{1}{2} =$

9 $1\dfrac{2}{5} \div 0.8 \times 3\dfrac{1}{2} =$

10 $1.5 \times 2\dfrac{4}{5} \div 0.8 =$

11 $3\dfrac{4}{5} \times 1.5 \div \dfrac{3}{10} =$

12 $\dfrac{1}{2} \times 4\dfrac{1}{5} \div 0.5 =$

13 $1.6 \times 2.5 \div \dfrac{4}{5} =$

14 $0.8 \times 2\dfrac{1}{2} \div 1.5 =$

핵심 3-1 괄호가 없는 사칙 연산

$$1.2 \times \frac{2}{3} - 0.4 \div \frac{4}{5} + \frac{3}{10} = \frac{12}{10} \times \frac{2}{3} - \frac{4}{10} \div \frac{4}{5} + \frac{3}{10}$$

$$= \frac{4}{5} - \frac{1}{2} + \frac{3}{10}$$

$$= \frac{3}{10} + \frac{3}{10}$$

$$= \frac{3}{5}$$

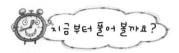

지금부터 풀어 볼까요?

❋ 소수를 분수로 고쳐서 계산하시오. (1~2)

1 $2\frac{1}{2} \div 0.5 + 1\frac{4}{5} \times 1.5 - \frac{3}{10} = \frac{\square}{2} \div \frac{\square}{10} + \frac{\square}{5} \times \frac{\square}{10} - \frac{3}{10}$

$$= \square + \frac{\square}{10} - \frac{3}{10}$$

$$= \square\frac{\square}{10} - \frac{3}{10} = \square\frac{\square}{5}$$

2 $0.8 \times 1\frac{1}{2} \div 3\frac{3}{5} + 1.5 \times 1\frac{2}{5} = \frac{\square}{10} \times \frac{\square}{2} \div \frac{18}{5} + \frac{\square}{10} \times \frac{\square}{5}$

$$= \frac{\square}{5} \div \frac{18}{5} + \frac{\square}{10} \times \frac{\square}{5}$$

$$= \frac{\square}{3} + \square\frac{\square}{10} = \square\frac{\square}{30}$$

❀ 다음을 계산하시오. (3~12)

3 $\dfrac{3}{4}+1.2\times\dfrac{3}{5}\div1\dfrac{1}{2}-0.3=$

4 $1.5-2\dfrac{2}{5}\div1.5\times\dfrac{1}{2}+3.2=$

5 $4.2\div1\dfrac{1}{2}+3\dfrac{1}{5}-1\dfrac{1}{4}\times0.4=$

6 $2\dfrac{1}{2}\times0.6\div2+4\dfrac{1}{2}\times0.2=$

7 $2.4+1\dfrac{1}{4}\times0.2\div\dfrac{2}{5}-1.9=$

8 $3 - 1\dfrac{1}{2} \div 0.4 \times \dfrac{3}{5} + 1\dfrac{1}{2} =$

9 $1\dfrac{1}{5} \div 0.4 + 1.5 \times \dfrac{4}{5} - 2\dfrac{1}{2} =$

10 $3.5 \times \dfrac{4}{5} \div 1\dfrac{3}{4} + 0.5 - 0.8 =$

11 $1\dfrac{1}{4} + 0.8 \times \dfrac{3}{4} \div 1\dfrac{1}{2} - 0.3 =$

12 $2\dfrac{1}{2} - 3\dfrac{3}{5} \div 2 \times 0.5 + 3\dfrac{1}{4} =$

핵심 3-2 괄호가 있는 사칙 연산

$$1.2 \times \left(\frac{2}{3} - 0.4\right) \div \frac{4}{5} + \frac{3}{10} = \frac{12}{10} \times \left(\frac{2}{3} - \frac{4}{10}\right) \div \frac{4}{5} + \frac{3}{10}$$

$$= \frac{12}{10} \times \frac{4}{15} \div \frac{4}{5} + \frac{3}{10}$$

$$= \frac{8}{25} \div \frac{4}{5} + \frac{3}{10}$$

$$= \frac{2}{5} + \frac{3}{10} = \frac{7}{10}$$

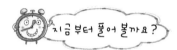

🌸 소수를 분수로 고쳐서 계산하시오. (1~2)

1
$$1.2 \times \left(\frac{3}{4} + 2.25\right) \div 1\frac{3}{5} - 1\frac{1}{2} = \frac{\square}{10} \times \left(\frac{3}{4} + 2\frac{\square}{100}\right) \div \frac{8}{5} - \frac{\square}{2}$$

$$= \frac{\square}{10} \times \square \div \frac{8}{5} - \frac{\square}{2}$$

$$= \frac{\square}{5} \div \frac{8}{5} - \frac{\square}{2} = \frac{\square}{4}$$

2
$$2\frac{2}{5} \times 2.5 \div \left(1.4 + \frac{1}{5}\right) - 0.5 = \frac{12}{5} \times \frac{\square}{10} \div \left(1\frac{\square}{10} + \frac{1}{5}\right) - \frac{\square}{10}$$

$$= \frac{12}{5} \times \frac{\square}{10} \div \frac{\square}{5} - \frac{\square}{10}$$

$$= \square \div \frac{\square}{5} - \frac{\square}{10} = \square\frac{\square}{4}$$

✿ 다음을 계산하시오. (3~12)

3 $\left(1.3+\dfrac{1}{5}\right)\div0.3-1\dfrac{1}{2}\times\dfrac{4}{5}=$

4 $5.2+\left(1\dfrac{1}{4}-0.75\right)\times1\dfrac{1}{2}\div\dfrac{1}{4}=$

5 $2.7\times1\dfrac{2}{5}\div\left(3\dfrac{3}{10}-1.8\right)+0.8=$

6 $0.3\times\left(2.1-\dfrac{3}{5}\right)+1\dfrac{4}{5}\div2\dfrac{1}{2}=$

7 $1.5\times\left(2.5-\dfrac{3}{4}\right)\div\dfrac{1}{2}+1\dfrac{1}{2}=$

8 $2 \div \left(1\dfrac{1}{4} \times 0.4 - \dfrac{2}{5}\right) + 3.5 =$

9 $0.9 \times \left(1 + \dfrac{1}{2}\right) \div 0.25 - 4\dfrac{2}{5} =$

10 $\dfrac{1}{2} \times 4.2 \div \left(0.1 + \dfrac{1}{4}\right) - 3 =$

11 $\left(0.2 + \dfrac{4}{5} \times 1.5\right) - \dfrac{2}{5} \div 4 =$

12 $5 + 3\dfrac{1}{2} \times 0.4 \div \left(1\dfrac{1}{5} - \dfrac{7}{10}\right) =$

시간	1~12분	12~14분	14~16분	16~18분	18~20분	점수 A + 점수 B	9~10점	7~8점	1~6점
점수 A	5	4	3	2	1				
맞은 개수	18~20개	15~17개	12~14개	9~11개	1~8개		참 잘했어요	잘했어요	좀더 노력하세요
점수 B	5	4	3	2	1				

1 소수를 분수로 고쳐서 계산하시오.

$$1\frac{1}{4}+3.8\div2$$

$$=1\frac{1}{4}+\frac{\boxed{}}{10}\div2$$

$$=1\frac{1}{4}+\frac{\boxed{}}{10}=\boxed{}\frac{\boxed{}}{20}$$

2 분수를 소수로 고쳐서 계산하시오.

$$1.6\times\left(3\frac{1}{4}-2.5\right)$$

$$=1.6\times\left(\boxed{}-2.5\right)$$

$$=1.6\times\boxed{}=\boxed{}$$

🌷 다음을 계산하시오. (3~16)

3 $1\frac{7}{10}+2\frac{1}{2}\times0.6=$

4 $3\frac{3}{5}\div\left(1.1+\frac{1}{2}\right)=$

5 $\left(1\frac{4}{5}+0.8\right)\times2\frac{1}{2}=$

6 $\left(1.5+\frac{3}{5}\right)\div1\frac{2}{5}=$

7 $3-3.2\times\frac{4}{5}=$

8 $2\frac{3}{5}-3\frac{1}{2}\div1.5=$

9 $3\frac{1}{2}-0.8\times1\frac{1}{2}=$

10 $0.8\times\left(1.5-\frac{1}{4}\right)=$

11 $\left(\dfrac{7}{8} - 0.55\right) \times \dfrac{4}{5} =$

12 $3\dfrac{3}{5} \div \left(2.5 - \dfrac{4}{5}\right) =$

13 $3.5 \div \left(1.3 - \dfrac{4}{5}\right) =$

14 $3\dfrac{1}{4} \div 0.5 \times \dfrac{4}{25} =$

15 $0.7 \div 1\dfrac{2}{5} \times 2\dfrac{1}{5} =$

16 $7.5 \times \dfrac{1}{5} \div 1.2 =$

17 소수를 분수로 고쳐서 계산하시오.

$$1\dfrac{2}{5} \div 4 + 3.2 \times 1\dfrac{1}{2} - 0.8$$

$$= \dfrac{7}{5} \div 4 + \dfrac{\boxed{}}{10} \times \dfrac{3}{2} - \dfrac{\boxed{}}{10}$$

$$= \dfrac{\boxed{}}{20} + \boxed{}\dfrac{\boxed{}}{5} - \dfrac{\boxed{}}{10}$$

$$= \boxed{}\dfrac{\boxed{}}{20}$$

🌷 다음을 계산하시오. (18~20)

18 $7 - 3.5 \div 2\dfrac{1}{2} \times 1\dfrac{1}{4} + 1.5 =$

19 $2.1 \times \left(1\dfrac{4}{5} + 0.7\right) \div 0.6 - 2\dfrac{3}{4} =$

20 $\left(1.5 + \dfrac{2}{5} \times 0.75\right) - 0.7 \div \dfrac{2}{5} =$

꼭 ✓ 알아야 한

수와 연산

6학년이 꼭✔ 알아야 한 수학 연산

정답과 풀이

✔ (주)에듀왕
www.EduWANG.com

정답

6학년

1 분수와 소수

핵심 1
7~8쪽

1 1.2, 1.5, $1\frac{7}{10}$

2 $\frac{23}{100}$, 0.26, $\frac{28}{100}$

3 0.581, $\frac{584}{1000}$, $\frac{586}{1000}$

4 0.7 　　5 1.4

6 0.15 　　7 0.83

8 5.59 　　9 0.773

10 1.047 　　11 $\frac{3}{10}$

12 $5\frac{9}{10}$ 　　13 $\frac{8}{100}$

14 $\frac{77}{100}$ 　　15 $3\frac{21}{100}$

16 $\frac{243}{1000}$ 　　17 $1\frac{108}{1000}$

15 0.72 　　16 0.78

17 0.66 　　18 0.28

19 0.65 　　20 0.075

21 0.755 　　22 0.432

23 0.466 　　24 0.875

핵심 2-1
9~10쪽

1 0.5 　　2 0.6

3 1, 4, 0.25 　　4 3, 20, 0.15

5 6, 25, 0.24 　　6 31, 50, 0.62

7 1, 8, 0.125

8 53, 200, 0.265

9 17, 250, 0.068

10 189, 500, 0.378

11 0.4 　　12 0.8

13 0.75 　　14 0.85

핵심 2-2
11~13쪽

1 $\frac{5}{10}$, 0.5

2 2, $\frac{4}{10}$, 0.4, 1.4

3 4, $\frac{52}{100}$, 0.52

4 2, 2, $\frac{78}{100}$, 0.78

5 5, 5, $\frac{45}{100}$, 0.45, 5.45

6 $\frac{872}{1000}$, 0.872 　7 $\frac{132}{1000}$, 0.132

8 125, 125, $\frac{625}{1000}$, 0.625, 2.625

9 0.8 　　10 3.2

11 5.5 　　12 12.6

13 0.08 　　14 0.55

15 0.62 　　16 0.15

17 2.25 　　18 5.44

19 2.72 　　20 9.86

21 0.175 　　22 0.615

23 0.308 　　24 0.504

25 1.075 　　26 4.052

27 8.146 　　28 3.875

핵심 3-1

1 $\dfrac{3}{10}$ **2** $\dfrac{9}{10}$

3 $\dfrac{7}{10}$ **4** $2\dfrac{1}{10}$

5 $5\dfrac{2}{10}$ **6** $13\dfrac{5}{10}$

7 $\dfrac{1}{100}$ **8** $\dfrac{6}{100}$

9 $\dfrac{24}{100}$ **10** $\dfrac{73}{100}$

11 $6\dfrac{3}{100}$ **12** $2\dfrac{57}{100}$

13 $11\dfrac{45}{100}$ **14** $4\dfrac{24}{100}$

15 $\dfrac{315}{1000}$ **16** $\dfrac{419}{1000}$

17 $\dfrac{107}{1000}$ **18** $\dfrac{521}{1000}$

19 $1\dfrac{823}{1000}$ **20** $2\dfrac{775}{1000}$

21 $5\dfrac{9}{1000}$ **22** $7\dfrac{319}{1000}$

핵심 3-2

1 $5, 5, 5, \dfrac{1}{2}$ **2** $2, 2, 2, 3\dfrac{1}{5}$

3 $75, 75, 25, \dfrac{3}{4}$

4 $46, 46, 2, \dfrac{23}{50}$

5 $24, 24, 4, 4, 2\dfrac{6}{25}$

6 $375, 375, 125, \dfrac{3}{8}$

7 $612, 612, 4, 4, \dfrac{153}{250}$

8 $305, 305, 5, 5, 5\dfrac{61}{200}$

9 $\dfrac{1}{5}$ **10** $\dfrac{4}{5}$

11 $7\dfrac{2}{5}$ **12** $2\dfrac{1}{2}$

13 $\dfrac{19}{20}$ **14** $\dfrac{3}{25}$

15 $\dfrac{3}{4}$ **16** $\dfrac{29}{50}$

17 $2\dfrac{1}{4}$ **18** $9\dfrac{23}{25}$

19 $7\dfrac{39}{50}$ **20** $1\dfrac{3}{20}$

21 $\dfrac{5}{8}$ **22** $\dfrac{1}{200}$

23 $\dfrac{21}{40}$ **24** $\dfrac{64}{125}$

25 $2\dfrac{7}{8}$ **26** $4\dfrac{9}{125}$

27 $5\dfrac{251}{500}$ **28** $3\dfrac{31}{40}$

단원 마무리 평가

1 $2.12, 2\dfrac{16}{100}, 2.18$

2 0.9 **3** 0.51

4 $4\dfrac{59}{100}$ **5** $1\dfrac{379}{1000}$

6 $2, 2, \dfrac{4}{10}, 0.4$

7 $4, 4, \dfrac{52}{100}, 0.52$

8 $25, 25, \dfrac{75}{100}, 0.75, 2.75$

9 0.66 **10** 0.375

11 2.85 **12** 5.144

13 $46, 46, 2, 2, \dfrac{23}{50}$

14 625, 625, 125, 125, $\dfrac{5}{8}$

15 25, 25, 25, 25, $3\dfrac{1}{4}$

16 $\dfrac{1}{5}$　　　**17** $\dfrac{441}{500}$

18 $1\dfrac{4}{5}$　　　**19** $3\dfrac{37}{50}$

20 $7\dfrac{53}{125}$

2 분수의 나눗셈

핵심 1-1
23~24쪽

1 $\dfrac{2}{3}$　　　**2** $\dfrac{5}{3}$, $1\dfrac{2}{3}$

3 2, 5, $\dfrac{2}{5}$　　　**4** 7, 4, $\dfrac{7}{4}$, $1\dfrac{3}{4}$

5 9, 2, $\dfrac{9}{2}$, $4\dfrac{1}{2}$　　　**6** 2

7 $1\dfrac{1}{2}$　　　**8** $\dfrac{2}{3}$

9 $1\dfrac{1}{3}$　　　**10** $\dfrac{1}{2}$

11 $1\dfrac{1}{4}$　　　**12** 2

13 $\dfrac{5}{6}$　　　**14** 3

15 $3\dfrac{1}{2}$　　　**16** $\dfrac{3}{7}$

17 $2\dfrac{1}{4}$　　　**18** 2

19 $1\dfrac{5}{7}$

핵심 1-2
25쪽

1 4, 9, 4, 9, $\dfrac{4}{9}$

2 25, 12, 25, 12, $\dfrac{25}{12}$, $2\dfrac{1}{12}$

3 $1\dfrac{7}{8}$　　　**4** $1\dfrac{13}{15}$

5 $\dfrac{5}{6}$　　　**6** $2\dfrac{1}{7}$

7 $1\dfrac{5}{16}$　　　**8** $1\dfrac{11}{24}$

핵심 1-3
26~28쪽

1 3, $\dfrac{9}{10}$　　　**2** 4, 3, $\dfrac{20}{9}$, $2\dfrac{2}{9}$

3 $\dfrac{4}{3}$, $\dfrac{8}{15}$　　　**4** $\dfrac{5}{4}$, $\dfrac{25}{32}$

5 $\dfrac{5}{2}$, $\dfrac{25}{18}$, $1\dfrac{7}{18}$　　　**6** $\dfrac{3}{5}$

7 $\dfrac{4}{9}$　　　**8** $\dfrac{5}{6}$

9 $\dfrac{3}{8}$　　　**10** $1\dfrac{1}{5}$

11 $\dfrac{3}{5}$　　　**12** $\dfrac{18}{25}$

13 $1\dfrac{1}{7}$　　　**14** $\dfrac{2}{9}$

15 $1\dfrac{7}{8}$　　　**16** $\dfrac{9}{14}$

17 $1\dfrac{3}{7}$　　　**18** $\dfrac{1}{2}$

19 $3\dfrac{3}{4}$　　　**20** $2\dfrac{1}{10}$

21 $\dfrac{20}{27}$　　　**22** $6\dfrac{2}{3}$

23 $\dfrac{21}{25}$　　　**24** $1\dfrac{1}{2}$

25 $\dfrac{16}{33}$　　　**26** $\dfrac{7}{11}$

27 $1\dfrac{5}{9}$ **28** $1\dfrac{7}{48}$

29 $1\dfrac{1}{3}$ **30** $\dfrac{5}{14}$

31 $1\dfrac{5}{21}$ **32** $2\dfrac{18}{25}$

33 $5\dfrac{1}{9}$

31 45   **32** $25\dfrac{2}{3}$

33 $32\dfrac{1}{2}$

핵심 2
29 ~ 31쪽

1 18, 3, 3   **2** $\dfrac{5}{3}$, $\dfrac{20}{3}$, $6\dfrac{2}{3}$

3 $\dfrac{3}{2}$, $\dfrac{15}{2}$, $7\dfrac{1}{2}$ **4** 3, 6

5 2, 14   **6** 3

7 $2\dfrac{6}{7}$ **8** 4

9 $3\dfrac{3}{7}$ **10** 21

11 6   **12** $4\dfrac{4}{5}$

13 16   **14** $12\dfrac{1}{2}$

15 $13\dfrac{1}{3}$ **16** 9

17 36   **18** $9\dfrac{1}{3}$

19 8   **20** 12

21 $9\dfrac{3}{5}$ **22** 12

23 108   **24** 25

25 $11\dfrac{3}{7}$ **26** 16

27 $14\dfrac{2}{5}$ **28** $22\dfrac{1}{2}$

29 24   **30** 36

핵심 3-1
32 ~ 33쪽

1 21, $2\dfrac{1}{10}$ **2** 3, $\dfrac{15}{8}$, $1\dfrac{7}{8}$

3 3, 5, $\dfrac{27}{20}$, $1\dfrac{7}{20}$

4 7, $\dfrac{6}{35}$ **5** 3, 2, $\dfrac{9}{14}$

6 $3\dfrac{1}{3}$ **7** $\dfrac{5}{12}$

8 $2\dfrac{1}{3}$ **9** $\dfrac{8}{21}$

10 $3\dfrac{3}{4}$ **11** $\dfrac{3}{10}$

12 $2\dfrac{2}{5}$ **13** $\dfrac{8}{45}$

14 $3\dfrac{1}{9}$ **15** $\dfrac{5}{12}$

16 $1\dfrac{7}{18}$ **17** $\dfrac{7}{12}$

18 $1\dfrac{3}{4}$ **19** $\dfrac{11}{26}$

핵심 3-2
34쪽

1 5, $\dfrac{15}{16}$ **2** 9, $\dfrac{49}{36}$, $1\dfrac{13}{36}$

3 $3\dfrac{3}{4}$ **4** $\dfrac{14}{15}$

5 $\dfrac{9}{10}$ **6** $1\dfrac{3}{10}$

7 $\dfrac{19}{35}$ **8** $\dfrac{3}{4}$

1 $2, \dfrac{9}{4}, 2\dfrac{1}{4}$　**2** $2, \dfrac{25}{6}, 4\dfrac{1}{6}$

3 $\dfrac{3}{2}, \dfrac{33}{10}, 3\dfrac{3}{10}$　**4** $\dfrac{5}{2}, \dfrac{75}{8}, 9\dfrac{3}{8}$

5 $4, 3, 7, \dfrac{12}{7}, 1\dfrac{5}{7}$

6 $4\dfrac{3}{8}$　**7** $5\dfrac{4}{7}$

8 $2\dfrac{2}{3}$　**9** $1\dfrac{3}{4}$

10 $5\dfrac{1}{4}$　**11** $10\dfrac{1}{5}$

12 2　**13** $1\dfrac{2}{5}$

14 $2\dfrac{6}{7}$　**15** $1\dfrac{5}{6}$

16 $4\dfrac{5}{6}$　**17** $4\dfrac{3}{5}$

18 $3\dfrac{7}{9}$　**19** $9\dfrac{3}{5}$

1 $\dfrac{5}{11}, \dfrac{5}{22}$　**2** $\dfrac{4}{7}, \dfrac{8}{21}$

3 $\dfrac{5}{8}, \dfrac{15}{32}$　**4** $3, 4, \dfrac{3}{20}$

5 $1, 9, \dfrac{7}{18}$　**6** $\dfrac{3}{22}$

7 $\dfrac{2}{27}$　**8** $\dfrac{8}{33}$

9 $\dfrac{1}{14}$　**10** $\dfrac{7}{24}$

11 $\dfrac{6}{25}$　**12** $\dfrac{2}{45}$

13 $\dfrac{25}{39}$　**14** $\dfrac{8}{21}$

15 $\dfrac{9}{88}$　**16** $\dfrac{10}{63}$

17 $\dfrac{21}{40}$　**18** $\dfrac{7}{33}$

19 $\dfrac{17}{116}$

1 $\dfrac{3}{5}, \dfrac{9}{10}$　**2** $\dfrac{4}{7}, \dfrac{20}{21}$

3 $\dfrac{2}{3}, \dfrac{26}{15}, 1\dfrac{11}{15}$

4 $4, 9, \dfrac{28}{27}, 1\dfrac{1}{27}$

5 $4, 1, \dfrac{8}{7}, 1\dfrac{1}{7}$　**6** $\dfrac{5}{7}$

7 $\dfrac{16}{27}$　**8** $1\dfrac{2}{3}$

9 $\dfrac{3}{4}$　**10** $1\dfrac{9}{10}$

11 $\dfrac{3}{5}$　**12** $3\dfrac{3}{20}$

13 $1\dfrac{1}{21}$　**14** $1\dfrac{3}{7}$

15 $5\dfrac{1}{7}$　**16** $\dfrac{9}{10}$

17 $2\dfrac{5}{8}$　**18** $1\dfrac{25}{27}$

19 $1\dfrac{4}{35}$

1 $\dfrac{5}{14}, \dfrac{15}{28}$　**2** $\dfrac{5}{8}, \dfrac{25}{32}$

3 $\dfrac{3}{4}, \dfrac{33}{28}, 1\dfrac{5}{28}$　**4** $7, 3, \dfrac{7}{15}$

5 $1, 7, \dfrac{15}{14}, 1\dfrac{1}{14}$

6 $2\frac{1}{10}$ **7** $\frac{8}{21}$

8 $1\frac{7}{9}$ **9** $1\frac{1}{2}$

10 $1\frac{9}{16}$ **11** $\frac{21}{50}$

12 $1\frac{2}{5}$ **13** $\frac{14}{33}$

14 $1\frac{2}{7}$ **15** $\frac{11}{12}$

16 $\frac{14}{27}$ **17** $1\frac{1}{20}$

18 $\frac{13}{21}$ **19** $\frac{11}{48}$

핵심 4-5
43~44쪽

1 $\frac{3}{8}, \frac{21}{32}$ **2** $\frac{3}{5}, \frac{18}{25}$

3 $\frac{3}{7}, \frac{39}{28}, 1\frac{11}{28}$ **4** $\frac{5}{16}, \frac{35}{48}$

5 $5, 1, \frac{15}{7}, 2\frac{1}{7}$ **6** $\frac{15}{16}$

7 $\frac{8}{15}$ **8** $1\frac{1}{10}$

9 $3\frac{1}{5}$ **10** $1\frac{3}{10}$

11 $3\frac{3}{7}$ **12** $1\frac{1}{2}$

13 $3\frac{1}{3}$ **14** $\frac{11}{16}$

15 $\frac{17}{33}$ **16** $\frac{14}{15}$

17 $1\frac{3}{4}$ **18** $2\frac{15}{26}$

19 $\frac{3}{10}$

단원 마무리평가
45~46쪽

1 $1\frac{1}{3}$ **2** $\frac{8}{5}, \frac{16}{25}$

3 $\frac{4}{5}$ **4** $2\frac{1}{2}$

5 $5, 1, 5$ **6** $10\frac{1}{2}$

7 20 **8** $7, 2, 10, 2\frac{1}{10}$

9 $\frac{5}{14}$ **10** $\frac{7}{10}$

11 $5, 1, \frac{15}{4}, 3\frac{3}{4}$ **12** $6\frac{3}{8}$

13 $\frac{12}{25}$ **14** $\frac{7}{48}$

15 $3, 1, \frac{18}{7}, 2\frac{4}{7}$ **16** $1\frac{1}{3}$

17 $\frac{20}{27}$ **18** $\frac{5}{9}, \frac{35}{18}, 1\frac{17}{18}$

19 $1\frac{17}{32}$ **20** $2\frac{11}{35}$

3 소수의 나눗셈

핵심 1-1
50쪽

1 $3, 3$ **2** $5, 7$

3 3 **4** 4

5 7 **6** 8

7 6 **8** 12

9 7 **10** 8

1 7, 21　　**2** 4, 28
3 13, 4, 12　　**4** 16, 12, 72
5 6　　**6** 5
7 9　　**8** 6
9 8　　**10** 7
11 3　　**12** 9
13 3　　**14** 9
15 7　　**16** 21
17 12　　**18** 27
19 11　　**20** 18
21 15　　**22** 33
23 17　　**24** 24

9 3　　**10** 2
11 7　　**12** 6
13 8　　**14** 9
15 6　　**16** 13
17 17　　**18** 22
19 24　　**20** 12
21 9　　**22** 13
23 11　　**24** 15

1 2, 1.4　　**2** 7, 4.2
3 1.5　　**4** 9.4
5 2.1　　**6** 7.3
7 5.8　　**8** 9.5
9 2.3　　**10** 3.2

1 15, 5　　**2** 62, 8
3 2　　**4** 4
5 7　　**6** 5
7 8　　**8** 4
9 3　　**10** 6

1 1.7, 4, 28　　**2** 2.1, 12, 6
3 1.3, 9, 27　　**4** 3.6, 72, 144
5 2.3　　**6** 1.3
7 0.9　　**8** 3.6
9 7.7　　**10** 1.4
11 8.2　　**12** 5.1
13 2.8　　**14** 3.5
15 1.8　　**16** 2.7
17 2.1　　**18** 3.2

1 4, 96　　**2** 7, 364
3 16, 84, 504　　**4** 13, 137, 411
5 4　　**6** 7
7 5　　**8** 8

정답

19 6.3　　**20** 2.9

21 3.7　　**22** 5.3

23 9.1　　**24** 4.6

핵심 2-3　　62쪽

1 13, 1.5　　**2** 48, 2.4

3 0.8　　**4** 2.1

5 1.8　　**6** 5.3

7 6.2　　**8** 1.6

9 0.9　　**10** 2.8

핵심 2-4　　63~65쪽

1 1.3, 33, 99　　**2** 2.4, 102, 204

3 1.8, 118, 944　　**4** 2.1, 408, 204

5 2.3　　**6** 0.9

7 4.1　　**8** 1.7

9 3.4　　**10** 1.2

11 8.3　　**12** 5.5

13 4.6　　**14** 2.5

15 1.2　　**16** 2.1

17 1.4　　**18** 1.7

19 2.9　　**20** 3.6

21 2.4　　**22** 1.3

23 3.2　　**24** 3.6

핵심 3-1　　66쪽

1 8, 5　　**2** 15, 8

3 15　　**4** 5

5 12　　**6** 25

7 20　　**8** 5

9 18　　**10** 30

핵심 3-2　　67~69쪽

1 4, 20　　**2** 5, 80

3 12, 25, 50　　**4** 15, 36, 180

5 25　　**6** 20

7 30　　**8** 8

9 15　　**10** 30

11 25　　**12** 20

13 15　　**14** 5

15 18　　**16** 20

17 35　　**18** 20

19 8　　**20** 12

21 25　　**22** 30

23 6　　**24** 20

핵심 3-3　　70쪽

1 25, 8　　**2** 64, 25

3 50　　**4** 25

5 16　　**6** 40

7 24　　**8** 25

9 40　　**10** 12

정답 **9**

71 ~ 73쪽

1 25, 24, 60		**2** 8, 600	
3 12, 125, 250		**4** 25, 336, 840	
5 50		**6** 25	
7 20		**8** 20	
9 150		**10** 25	
11 50		**12** 25	
13 20		**14** 25	
15 20		**16** 28	
17 25		**18** 8	
19 50		**20** 4	
21 12		**22** 75	
23 25		**24** 50	

핵심 4

74 ~ 76쪽

1 8, 0.3, 8, 0.3 **2** 4, 0.5, 4, 0.5

3 3, 0.7, 3, 0.7 **4** 6, 1.4, 6, 1.4

5 몫 : 9, 나머지 : 0.1

검산 : $0.2 \times 9 + 0.1 = 1.9$

6 몫 : 3, 나머지 : 0.3

검산 : $0.4 \times 3 + 0.3 = 1.5$

7 몫 : 5, 나머지 : 0.2

검산 : $0.5 \times 5 + 0.2 = 2.7$

8 몫 : 7, 나머지 : 0.5

검산 : $0.6 \times 7 + 0.5 = 4.7$

9 몫 : 7, 나머지 : 0.4

검산 : $0.8 \times 7 + 0.4 = 6$

10 몫 : 3, 나머지 : 0.8

검산 : $0.9 \times 3 + 0.8 = 3.5$

11 몫 : 3, 나머지 : 0.6

검산 : $1.3 \times 3 + 0.6 = 4.5$

12 몫 : 1, 나머지 : 0.8

검산 : $1.7 \times 1 + 0.8 = 2.5$

13 몫 : 5, 나머지 : 1.5

검산 : $2.1 \times 5 + 1.5 = 12$

14 몫 : 4, 나머지 : 1.5

검산 : $2.4 \times 4 + 1.5 = 11.1$

15 몫 : 4, 나머지 : 2.3

검산 : $3.3 \times 4 + 2.3 = 15.5$

16 몫 : 7, 나머지 : 2.1

검산 : $4.5 \times 7 + 2.1 = 33.6$

17 몫 : 5, 나머지 : 2.15

검산 : $5.6 \times 5 + 2.15 = 30.15$

18 몫 : 6, 나머지 : 3.73

검산 : $8.7 \times 6 + 3.73 = 55.93$

19 몫 : 5, 나머지 : 1.29

검산 : $9.2 \times 5 + 1.29 = 47.29$

20 몫 : 3, 나머지 : 9.91

검산 : $10.2 \times 3 + 9.91 = 40.51$

핵심 5-1
77~79쪽

1 0.76, 0.8, 21, 18

2 0.45, 0.5, 28, 35

3 1.71, 1.7, 8, 56, 8

4 3.88, 3.9, 63, 168, 168

5 3.8 **6** 4.8

7 4.3 **8** 1.6

9 2.3 **10** 1.7

11 0.8 **12** 1.5

13 2.8 **14** 1.5

15 0.5 **16** 1.1

17 7.5 **18** 0.6

19 2.2 **20** 1.5

핵심 5-2
80~82쪽

1 1.755, 1.76, 9, 63, 45, 45

2 2.167, 2.17, 68, 34, 204, 238

3 7.13 **4** 1.83

5 3.08 **6** 5.37

7 1.33 **8** 1.99

9 9.03 **10** 1.16

11 0.47 **12** 2.88

13 0.74 **14** 1.15

15 2.07 **16** 4.24

17 2.72 **18** 1.22

단원 마무리평가
83~84쪽

1 7, 7, 7 **2** 8

3 4 **4** 13

5 6, 6, 3.4 **6** 0.8

7 4.7 **8** 1.9

9 25, 25, 16 **10** 15

11 75 **12** 20

13 6, 48, 0.4, 6, 0.4

14 몫 : 4, 나머지 : 1.5

검산 : $2.7 \times 4 + 1.5 = 12.3$

15 몫 : 16, 나머지 : 0.12

검산 : $0.5 \times 16 + 0.12 = 8.12$

16 몫 : 2, 나머지 : 3.14

검산 : $3.7 \times 2 + 3.14 = 10.54$

17 0.56, 0.6, 40, 48

18 2.5 **19** 4.49

20 4.23

4 분수와 소수의 나눗셈

핵심 1-1
87~88쪽

1 0.5, 3 **2** 0.4, 4.5

3 0.6, 1.5 **4** 0.5, 1.2

5 0.25, 2.8 **6** 1.2, 1.5

7 3 **8** 4.5

9 2　　　　**10** 3

11 0.5　　　**12** 0.8

13 4　　　　**14** 2.5

15 3　　　　**16** 1.5

17 6　　　　**18** 1.28

19 0.84　　　**20** 2

5 1.5, 1.5　　　**6** 2.4, 2.8

7 0.2　　　　**8** 0.7

9 0.6　　　　**10** 1.2

11 3.1　　　　**12** 1.7

13 2.45　　　　**14** 0.96

15 1.25　　　　**16** 0.8

17 3.4　　　　**18** 2.6

19 1.5　　　　**20** 1.4

핵심 1-2

89~90쪽

1 10, 10, 10

2 10, 3, 10, $\dfrac{21}{10}$, $2\dfrac{1}{10}$

3 10, 10, 70, $1\dfrac{11}{70}$

4 10, 10, 50, $2\dfrac{47}{50}$

5 $\dfrac{3}{5}$　　　　**6** $\dfrac{2}{5}$

7 $1\dfrac{2}{5}$　　　**8** $\dfrac{3}{5}$

9 $2\dfrac{2}{5}$　　　**10** $\dfrac{4}{5}$

11 $1\dfrac{1}{5}$　　　**12** $2\dfrac{4}{25}$

13 2　　　　**14** $6\dfrac{2}{5}$

15 $1\dfrac{3}{7}$　　　**16** $1\dfrac{53}{75}$

17 $1\dfrac{2}{5}$　　　**18** $\dfrac{38}{39}$

핵심 1-3

91~92쪽

1 0.5, 0.3　　　**2** 0.4, 2.1

3 0.7, 2.2　　　**4** 0.75, 0.6

핵심 1-4

93~94쪽

1 100, 100, 200

2 100, 9, 100, $\dfrac{81}{100}$

3 100, 13, 100, $\dfrac{91}{100}$

4 100, 31, 100, 100, $2\dfrac{79}{100}$

5 $\dfrac{12}{25}$　　　**6** $\dfrac{5}{8}$

7 $\dfrac{64}{125}$　　　**8** $\dfrac{9}{13}$

9 $\dfrac{63}{100}$　　　**10** $\dfrac{18}{25}$

11 $4\dfrac{3}{4}$　　　**12** $1\dfrac{4}{5}$

13 2　　　　**14** $1\dfrac{13}{25}$

15 $1\dfrac{43}{100}$　　　**16** $1\dfrac{16}{25}$

17 $\dfrac{271}{350}$　　　**18** $2\dfrac{17}{70}$

핵심 2-1
95~96쪽

1 10, 10, 10

2 10, 10, 1, $\frac{10}{9}$, 1$\frac{1}{9}$

3 10, 10, $\frac{50}{91}$

4 23, 10, 23, 10, 230, 1, 41

5 $\frac{5}{6}$

6 1$\frac{1}{9}$

7 $\frac{5}{7}$

8 $\frac{3}{4}$

9 1$\frac{1}{3}$

10 $\frac{3}{7}$

11 $\frac{13}{16}$

12 $\frac{35}{36}$

13 $\frac{5}{9}$

14 $\frac{8}{15}$

15 $\frac{5}{6}$

16 $\frac{2}{3}$

17 1$\frac{1}{14}$

18 $\frac{35}{36}$

핵심 2-3
99~100쪽

1 100, 100, 100

2 100, 100, 11, $\frac{100}{77}$, 1$\frac{23}{77}$

3 100, 100, $\frac{200}{321}$

4 4, 100, 100, 37, $\frac{100}{111}$

5 1$\frac{1}{3}$

6 1$\frac{1}{24}$

7 $\frac{25}{26}$

8 1$\frac{2}{3}$

9 1$\frac{1}{99}$

10 1$\frac{4}{21}$

11 $\frac{100}{117}$

12 $\frac{16}{21}$

13 $\frac{25}{57}$

14 $\frac{5}{14}$

15 $\frac{25}{44}$

16 $\frac{25}{31}$

17 1$\frac{1}{24}$

18 $\frac{6}{7}$

핵심 2-2
97~98쪽

1 0.8, 4

2 0.9, 1.5

3 0.2, 0.25

4 0.96, 0.6

5 1.4, 0.6

6 5.55, 1.8

7 3

8 2.5

9 0.5

10 0.9

11 1.2

12 0.35

13 0.75

14 0.7

15 0.6

16 0.4

17 0.6

18 0.7

19 0.9

20 1.3

핵심 2-4
101~102쪽

1 0.75, 3

2 0.28, 0.5

3 0.22, 0.25

4 0.5, 0.4

5 2.76, 1.7

6 3.78, 1.2

7 5

8 1.5

9 0.8

10 0.4

11 1.5

12 0.8

13 0.5

14 0.4

15 0.5

16 0.8

17 0.5

18 1.2

19 1.5

20 1.1

1 0.8, 2　　**2** 0.6

3 1.25　　**4** 0.4

5 0.8

6 10, 1, 10, $\dfrac{7}{30}$

7 $1\dfrac{1}{2}$　　**8** $1\dfrac{1}{5}$

9 $\dfrac{19}{30}$　　**10** $\dfrac{43}{60}$

11 10, 10, 3, $\dfrac{10}{21}$

12 $1\dfrac{3}{14}$　　**13** $\dfrac{4}{9}$

14 $\dfrac{25}{38}$　　**15** 3

16 0.6, 1.2　　**17** 4.25

18 1.8　　**19** 4

20 0.7

5 분수와 소수의 혼합 계산

핵심 1-1 107 ~ 109쪽

1 6, 5, 1, 7　　**2** 6, 6, 5, 6, 1

3 0.75, 1.8, 3.1

4 1.2, 0.25, 1.2, 0.4, 1.6

5 $2\dfrac{9}{10}(=2.9)$　　**6** $3\dfrac{4}{5}(=3.8)$

7 $1\dfrac{53}{100}(=1.53)$　　**8** $2\dfrac{1}{2}(=2.5)$

9 $2\dfrac{1}{5}(=2.2)$　　**10** $3\dfrac{19}{20}(=3.95)$

11 $1\dfrac{41}{50}(=1.82)$　　**12** $1\dfrac{3}{4}(=1.75)$

13 $2\dfrac{7}{10}(=2.7)$　　**14** $\dfrac{13}{20}(=0.65)$

15 $1\dfrac{1}{2}(=1.5)$　　**16** $2\dfrac{1}{10}(=2.1)$

17 $5\dfrac{1}{4}(=5.25)$　　**18** $1\dfrac{3}{4}(=1.75)$

19 $2\dfrac{1}{5}(=2.2)$　　**20** $3\dfrac{4}{5}(=3.8)$

21 $5\dfrac{9}{10}(=5.9)$　　**22** $4\dfrac{3}{5}(=4.6)$

23 $1\dfrac{12}{25}(=1.48)$　　**24** $2\dfrac{4}{5}(=2.8)$

핵심 1-2 110 ~ 112쪽

1 4, 8, 4, 2　　**2** 4, 3, 2, 1

3 2.8, 4.1, 28.7　　**4** 0.4, 3.6, 9

5 $5\dfrac{2}{5}(=5.4)$　　**6** $1\dfrac{1}{2}(=1.5)$

7 $1\dfrac{2}{5}(=1.4)$　　**8** $1\dfrac{4}{5}(=1.8)$

9 $\dfrac{39}{50}(=0.78)$　　**10** $7\dfrac{2}{5}(=7.4)$

11 $2\dfrac{1}{2}(=2.5)$　　**12** $15\dfrac{2}{5}(=15.4)$

13 $\dfrac{1}{4}(=0.25)$　　**14** $5\dfrac{3}{4}(=5.75)$

15 9　　**16** $5\dfrac{7}{25}(=5.28)$

17 $1\dfrac{1}{4}(=1.25)$　　**18** $9\dfrac{1}{2}(=9.5)$

19 $5\dfrac{1}{25}(=5.04)$　　**20** $\dfrac{3}{5}(=0.6)$

21 $1\dfrac{1}{3}$ **22** $\dfrac{7}{25}(=0.28)$

23 $\dfrac{24}{35}$ **24** $2\dfrac{2}{5}(=2.4)$

핵심 1-3   113~115쪽

1 25, 25, 9, 1, 3

2 32, 4, 1, 7

3 1.5, 0.75, 1.5, 0.3, 1.2

4 1.8, 1.8, 1.5, 0.3

5 $\dfrac{6}{25}(=0.24)$ **6** $\dfrac{3}{50}(=0.06)$

7 $\dfrac{1}{4}(=0.25)$ **8** $1\dfrac{1}{10}(=1.1)$

9 $2\dfrac{17}{30}$ **10** $1\dfrac{1}{2}(=1.5)$

11 $1\dfrac{39}{50}(=1.78)$

12 $1\dfrac{51}{100}(=1.51)$

13 $\dfrac{33}{50}(=0.66)$ **14** $2\dfrac{1}{10}(=2.1)$

15 $\dfrac{1}{5}(=0.2)$ **16** 2

17 $1\dfrac{11}{18}$ **18** $\dfrac{21}{50}(=0.42)$

19 $\dfrac{11}{50}(=0.22)$ **20** $1\dfrac{1}{4}(=1.25)$

21 $3\dfrac{27}{100}(=3.27)$

22 $\dfrac{4}{5}(=0.8)$ **23** $1\dfrac{1}{15}$

24 $3\dfrac{1}{2}(=3.5)$

핵심 1-4   116~118쪽

1 15, 7, 3, 1   **2** 7, 4, 2

3 1.4, 0.5, 1.8, 0.5, 0.9

4 2.4, 1.6, 1.5

5 $\dfrac{9}{10}(=0.9)$ **6** $1\dfrac{1}{8}(=1.125)$

7 $\dfrac{11}{20}(=0.55)$ **8** $2\dfrac{1}{10}(=2.1)$

9 $1\dfrac{11}{100}(=1.11)$ **10** $\dfrac{4}{5}(=0.8)$

11 $\dfrac{2}{3}$ **12** 4

13 $1\dfrac{4}{5}(=1.8)$ **14** $1\dfrac{7}{10}(=1.7)$

15 $4\dfrac{1}{5}(=4.2)$ **16** $\dfrac{24}{25}(=0.96)$

17 $3\dfrac{3}{4}(=3.75)$

18 $2\dfrac{17}{100}(=2.17)$

19 $\dfrac{9}{20}(=0.45)$ **20** $1\dfrac{1}{4}(=1.25)$

21 $\dfrac{3}{5}(=0.6)$ **22** $1\dfrac{3}{5}(=1.6)$

23 2   **24** $2\dfrac{1}{4}(=2.25)$

핵심 2   119~120쪽

1 6, 4, 6

2 15, 5, 27, 5, 5, 2

3 0.5, 3.25, 2.4, 3.25, 7.8

4 1.5, 1.8, 2.7, 6.75

5 6   **6** $2\dfrac{2}{5}(=2.4)$

7 $1\frac{3}{4}(=1.75)$ **8** $7\frac{1}{5}(=7.2)$

9 $6\frac{1}{8}(=6.125)$ **10** $5\frac{1}{4}(=5.25)$

11 19 **12** $4\frac{1}{5}(=4.2)$

13 5 **14** $1\frac{1}{3}$

7 $6\frac{3}{4}(=6.75)$ **8** $23\frac{1}{2}(=23.5)$

9 1 **10** 3

11 $1\frac{3}{10}(=1.3)$ **12** $7\frac{4}{5}(=7.8)$

핵심 3-1 121~123쪽

1 5, 5, 9, 15, 5, 27, 7, 7, 7, 2

2 8, 3, 15, 7, 6, 15, 7, 1, 2, 1, 2, 13

3 $\frac{93}{100}(=0.93)$ **4** $3\frac{9}{10}(=3.9)$

5 $5\frac{1}{2}(=5.5)$ **6** $1\frac{13}{20}(=1.65)$

7 $1\frac{1}{8}(=1.125)$ **8** $2\frac{1}{4}(=2.25)$

9 $1\frac{7}{10}(=1.7)$ **10** $1\frac{3}{10}(=1.3)$

11 $1\frac{7}{20}(=1.35)$ **12** $4\frac{17}{20}(=4.85)$

핵심 3-2 124~126쪽

1 12, 25, 3, 12, 3, 3, 18, 3, 3

2 25, 4, 5, 25, 8, 5, 6, 8, 5, 3, 1

3 $3\frac{4}{5}(=3.8)$ **4** $8\frac{1}{5}(=8.2)$

5 $3\frac{8}{25}(=3.32)$

6 $1\frac{17}{100}(=1.17)$

단원 마무리평가 127~128쪽

1 38, 19, 3, 3 **2** 3.25, 0.75, 1.2

3 $3\frac{1}{5}(=3.2)$ **4** $2\frac{1}{4}(=2.25)$

5 $6\frac{1}{2}(=6.5)$ **6** $1\frac{1}{2}(=1.5)$

7 $\frac{11}{25}(=0.44)$ **8** $\frac{4}{15}$

9 $2\frac{3}{10}(=2.3)$ **10** 1

11 $\frac{13}{50}(=0.26)$ **12** $2\frac{2}{17}$

13 7 **14** $1\frac{1}{25}(=1.04)$

15 $1\frac{1}{10}(=1.1)$ **16** $1\frac{1}{4}(=1.25)$

17 32, 8, 7, 4, 4, 8, 4, 7

18 $6\frac{3}{4}(=6.75)$ **19** 6

20 $\frac{1}{20}(=0.05)$